DE JONGE BOERIN VAN MADEZICHT

Clemens Wisse

De jonge boerin van Madezicht

Westfriesland

www.kok.nl

NUR 344
ISBN 978 90 205 2979 1

Omslagillustratie- en ontwerp: Bas Mazur

HOOFDSTUK 1

'Nou je kaken op elkaar en dooreten!' Teun Bieshof moet even zijn gezag laten gelden, want met vijf kinderen waarvan de oudste pas twaalf is, is dat wel nodig.
'Hoe kan ik nou dooreten als ik mijn kaken op elkaar moet houden,' lacht Maartje, de oudste van het stel. 'Bovendien ben ik klaar en dan mag ik toch wel vertellen wat ik vandaag gehoord heb?'
'Gaat het soms weer over dat verwende jongetje van Madezicht?' vraagt moeder Trees. Maartje knikt en zegt dat Henk altijd spannende verhalen heeft. 'Veel meer dan de andere jongens,' vindt ze.
'Dat is toch dat nakomertje op Madezicht,' herinnert vader Teun zich. 'Geen wonder dat die verwend wordt. Zijn oudste zuster is al getrouwd en Gonda is nog wel thuis, maar die is ook al over de twintig.'
'Maar Henk heeft al een eigen paard, hoor!' weet Maartje en zegt dan dat zij ook een eigen paard wil.
'Een echt paard of een hobbelpaard? Je zegt het maar, want ik heb geld zat!' Teun maakt maar een grapje, want als eenvoudige knecht van de plaatselijke meelhandelaar kan hij geen bokkensprongen maken. Kinderen van rijke boeren pochen op school vaak over hun bezittingen en jagen daarmee de klasgenootjes van mindere komaf op stang. Henkie Cromhout loopt daarbij voorop, heeft hij al meermalen geconcludeerd naar aanleiding van de uitlatingen van zijn oudste dochter.
Als hij meel op Madezicht moet afleveren komt hij het joch weleens tegen. Geen onaardig knulletje, maar een beetje over het paard getild. Dat kan ook bijna niet anders als er zo'n groot leeftijdsverschil is met je zusters. Teun kent de bewoners van die hoeve al vele jaren en hij weet dat de boer, Gerrit Cromhout, zich allang tevredengesteld had met twee dochters, want toen zijn jongste tien was rekende hij niet meer op nog een nakomeling. Maar hij had het mis. Waar niemand nog op gerekend had gebeurde: Jaan Cromhout, de statige boerin, kreeg op haar zesenveertigste nog een kind, en wel een jongen. Dit tot grote vreugde en trots

van vader Gerrit, want met een zoon had hij tevens een opvolger op Madezicht, de imposante hoeve die al bijna twee eeuwen het onbezwaarde familiebezit van de Cromhouts is.
'En Henk heeft beloofd dat hij een keer op zijn paard naar school komt,' weet Maartje nog te melden, en daar zijn vooral haar twee schoolgaande zusjes van onder de indruk. De twee kleine broertjes weten nog niet precies waar het over gaat en die doen vooral hun best zoveel mogelijk van het schaarse voedsel naar binnen te werken. Ze gunnen zich weinig tijd om te praten en te luisteren.
'Waar laat hij het paard dan als hij ermee naar school komt?' wil moeder weten, maar daar moet Maartje het antwoord op schuldig blijven. Wat ze wel weet, is dat Henk haar gevraagd heeft een keer met hem een ritje op zijn paard te maken, maar dat vertelt ze niet, want dan wordt het haar misschien verboden en dat risico wil ze niet lopen. Ze bewondert Henk om zijn knappe kop en zijn bravoure.

'Vinden ze het thuis goed dat je een ritje met me op het paard gaat maken, Maartje?' vraagt Henk de volgende dag als ze elkaar op het schoolplein ontmoeten.
'Ik heb het niet gevraagd, want ik ben bang dat het dan niet mag,' bekent Maartje eerlijk en Henk moet er een beetje om lachen.
'Iets doen wat niet mag is lekker spannend,' vindt hij en Maartje is het met hem eens.
'Wanneer wil je dat ritje dan maken, Henk?'
'Morgen.'
'Kom je morgen op je paard naar school?'
'Ja.'
'Maar waar laat je het beest dan als je de klas in moet?'
'Bij ome Piet.'
'O, dat is vlakbij.' Op het kleine dorp aan de Made kent iedereen elkaar en Maartje weet dat de hoeve van Piet Cromhout aan de rand van het dorp, op nog geen vijf minuten lopen van de school ligt.
De volgende dag blijkt Henk woord gehouden te hebben, want op het schoolplein hoort Maartje meisjes erover praten. 'Hij reed de school voorbij en ik ben benieuwd of hij nog terugkomt,' zegt een

van de meisjes. Lang wordt haar nieuwsgierigheid niet op de proef gesteld, want nog geen vijf minuten later komt Henk er al aan. Hij komt rechtstreeks op Maartje af en fluistert haar in het oor: 'Het paard staat bij ome Piet en na schooltijd gaan we een ritje maken, goed?' Zij knikt en krijgt meteen een kleur.
'Wat staan jullie daar te smoezen?' willen de meiden weten, maar Henk schudt zijn hoofd.
'Jullie mogen wel alles eten, maar niet alles weten, dames,' lacht hij en dan zijn de 'dames' jaloers op Maartje. Tijd om dat te laten blijken hebben ze niet, want de lessen beginnen en dan moet er geluisterd worden. Daar heeft Maartje nogal moeite mee, want ze is vol van de gedachte dat ze nog diezelfde dag een ritje op het paard van Henk Cromhout mag maken.
'Jij, Maartje! Wat zit je te dromen? Het is jouw beurt om verder te lezen.' Meester Fijma kijkt haar streng aan. Hij is het van Maartje Bieshof niet gewend dat zij zo afwezig is. 'Weet je niet waar Antje gebleven is?' En dan schudt Maartje haar hoofd en bloost ze tot achter haar oren. De meester moet haar zeggen waar ze moet beginnen en dan doet ze haar uiterste best zo goed en zo duidelijk mogelijk te lezen. De rest van de leesles zit ze in spanning, want stel je voor dat ze moet schoolblijven; dan kan ze niet met Henk gaan rijden. Maar tot haar opluchting gebeurt er verder niets en als de school uitgaat, volgt ze Henk naar de hoeve van zijn ome Piet. 'Wie heb je nou meegebracht?' vraagt die en als Henk zegt dat ze Maartje Bieshof is, haalt hij met een bedenkelijk gezicht zijn schouders op. Hij zegt er niets van, maar het is wel duidelijk dat hij de dochter van een knecht nou niet bepaald geschikt gezelschap vindt voor zijn neef.
'Ga even op dat walletje staan, dan trek ik je op het paard,' zegt Henk en Maartje volgt zijn advies op. Als ze achter hem op de brede rug van het paard zit, houdt ze zich stevig aan haar held vast, want ze vindt het toch wel een beetje eng, zo hoog op dat grote paard. Toch overwint ze haar angst algauw, want ze voelt zich vereerd zo met de vlotte boerenzoon door het dorp te rijden. Gordijntjes worden opzij geschoven en dan lacht Henk dat ze begluurd worden.
'Ik heb er thuis niks van gezegd, maar nu kan ik het natuurlijk niet

meer geheim houden,' concludeert ze en Henk is het met haar eens, maar vindt dat ze er zich niets van aan moet trekken.
'We gaan fijn een rondje om het meer maken, Maartje,' belooft hij en spoort het paard aan tot een rustige draf.
'Niet te hard, hoor!' steunt Maartje. Ze moet zich nog steviger aan Henk vasthouden en die moet erom lachen. Hij vindt het wel spannend met een meisje zo dicht tegen hem aan. Bij de bosrand aangekomen rijden ze onder laaghangende takken door. Een van die takken raakt haar gezicht en daardoor ontstaat er een schram op haar wang. 'Au!' roept ze geschrokken en dan houdt Henk het paard in en stijgen ze af. Met zijn zakdoek dept hij het bloed en stelt haar gerust dat de schram niet diep is, maar Maartje is toch geschrokken en dus rijden ze maar rechtstreeks naar huis.
'Waar kom jij nou zo laat vandaan en hoe kom je aan die schram op je gezicht?' Moeder Trees Bieshof is het van haar oudste niet gewend dat ze zo laat uit school komt en ze schrikt van de schram op haar gezicht.
'Ik zal het je maar eerlijk vertellen, moe, want het komt toch uit,' verzucht Maartje.
'Wat moet je me eerlijk vertellen?'
'Ik heb een ritje op het paard van Henk Cromhout gemaakt.'
'Alleen?'
'Nee, bij Henk achterop.'
'Maar kind, hoe haal je zoiets nou in je hoofd? Het is toch niks voor een meisje om met die jongen van Madezicht op een paard door het dorp te rijden. Je lijkt wel gek!'
'Overdrijf nou niet zo, moe; wat geeft dat nou, zo'n ritje.'
'Over welk ritje heb je het?' vraagt vader Teun, die zojuist zijn laatste vracht meel heeft afgeleverd en hongerig aan tafel schuift. 'En hoe kom je aan die schram op je wang?' wil ook hij weten.
'Je zult het niet willen geloven, Teun, maar ze heeft met die jongen van Madezicht op diens paard door het dorp gereden. Ik schaam me dood,' antwoordt moeder Trees in de plaats van haar dochter.
'Samen met Henkie Cromhout op een paard?' Teun kijkt zijn dochter met een ongelovig gezicht aan en als Maartje knikt, reageert hij al eender als zijn vrouw. 'Zoiets doe je als meisje toch

niet! Trouwens, dat rijke verwende joch is geen omgang voor jou. Laat het niet weer gebeuren!' Hij kijkt zijn dochter met een bestraffende blik aan, maar in zijn hart is hij toch wel een beetje trots op haar. De zoon van Gerrit Cromhout, de toekomstige boer van de machtige hoeve Madezicht, kiest zijn dochter uit om met hem te gaan paardrijden.

'Ben je gevallen?' vragen de meisjes de volgende dag als Maartje op school komt met de schram op haar wang.
'Nee, ons konijntje was losgebroken en die moest ik uit de struiken halen en daarbij heb ik mijn wang opgengehaald aan een tak,' verzint Maartje. Ze wil niet vertellen dat ze de schram opgelopen heeft toen ze met Henk op diens paard langs het meer reed, maar dat ritje kan ze niet geheimhouden, want een van de meisjes heeft haar gezien en vertelt het ook.
'Jij met Henk op het paard?' vragen ze in koor en als Maartje dan maar knikt, kijken ze haar met een jaloerse blik aan, want Henk is de bink van de school. Hij heeft altijd geld en mooie spullen en nu ook al een eigen paard.
De dochters van rijke boeren halen nuffig hun neus op voor de arme meisjes, die natuurlijk geen enkele kans maken bij Henk. Maar intussen zijn ook zij jaloers op Maartje. Ze gaan naar de laatste schoolklas en beginnen al een beetje naar de jongens te gluren.

'Ik hoorde in het dorp dat ze jou gisteren met een meisje achterop je paard hebben gezien,' zegt Gonda Cromhout als Henk die middag uit school komt. Gonda is tien jaar ouder dan Henk en ze beschouwt zichzelf zo'n beetje als diens tweede moeder. Tot voor enkele jaren moest ze haar broertje nog delen met haar zuster Mien, maar sedert die getrouwd is, mag zij moederen over Henkie. 'Ben jij niet nog een beetje te jong voor meisjes, jongetje?' vraagt ze lachend, maar Henk schudt zijn hoofd.
'Dat gaat jou niks aan en ik ben geen jongetje.' Henk wil voor vol aangezien worden en niet langer worden aangesproken met 'Henkie' of 'jongetje'. Met zijn twaalf jaren voelt hij zich daar te groot voor.

Boerin Jaan Cromhout moet lachen om het verweer van haar jongste. Toch heeft zij er zelf ook moeite mee te moeten constateren dat Henkie de kinderjaren langzamerhand al ontgroeid is. Ja, de tijd gaat snel. Ze moet er een beetje van zuchten. Als de dag van gisteren herinnert zij zich het moment waarop zij zekerheid kreeg dat ze zwanger was. Dokter Kronestijn bevestigde het en toen pas kon ze het geloven en het haar man Gerrit vertellen. Die had zich er eerder al bij neergelegd dat hij zich tevreden zou moeten stellen met twee meiden. Hij was er trots op, maar dat hij geen zoon en dus geen opvolger had, knaagde toch aan hem. Hij sprak zich er nooit zo over uit, maar zijn teleurstelling was voelbaar als er weer een jaar voorbij ging zonder dat zij zwanger raakte. Dat was in de eerste jaren na de geboorte van Gonda. Later had hij zich erbij neergelegd.
Zoals gebruikelijk onder rijke boeren waren zij en Gerrit aan elkaar gekoppeld en een huwelijk uit liefde was het dus niet. Maar Gerrit was en is geen slechte man en in de loop der jaren zijn ze dan ook naar elkaar toe gegroeid. Hoogte- of dieptepunten waren er niet meer in hun huwelijk, tot de dag waarop ze hem vertelde dat ze in verwachting was. Ontroerend was het om te zien hoe blij hij was. Zij deelde zijn vreugde, maar ze moest hem toch afremmen als hij het steeds maar over 'onze zoon' had. Vanaf die tijd omringde hij haar met alle mogelijke zorgen en zijn twee dochters deden daar ijverig aan mee. Niet helemaal ten onrechte, want de dokter had wel bedenkelijk gekeken toen hij constateerde dat zij op haar leeftijd nog zwanger geraakt was.
Toen zij uiteindelijk beviel van een welgeschapen zoon en ze de bevalling goed had doorstaan, kende de vreugde van Gerrit Cromhout geen grenzen.
De kleine Henkie groeide voorspoedig op, maar een probleempje was wel dat hij, tussen twee zorgzame ouders en ook nog twee zorgzame zusters, totaal verwend werd. Hij kreeg alles wat zijn hartje begeerde; nu op zijn twaalfde ook nog een eigen paard. Natuurlijk wordt de merrie ook ingeschakeld voor het boerenwerk op de hoeve, maar toch mag Henk het beest zijn eigendom noemen en als hij dat wil er ook op naar school gaan.
'Ik ben geen Henkie maar Henk en ik bepaal zelf wel met wie ik

ga paardrijden; dat moet je toch eens onthouden, Gonda!' vindt Henk en de boer, die het hoort, is het met zijn zoon eens.
'Heb je de merrie goed verzorgd?' vraagt-ie, maar Henk schudt zijn hoofd.
'Ik ben er vandaag niet op naar school gegaan.'
'O, dan is het goed.' Gerrit Cromhout brengt zijn kinderen van jongs af aan liefde en zorg voor de dieren bij. Zij moeten ervan leven en diezelfde dieren hebben er dan ook recht op goed verzorgd te worden. 'Maar je zegt dat je zelf uitmaakt met wie je gaat paardrijden. Over wie heb je het dan?'
'Niks bijzonders, pa. Gisteren heb ik een ritje met Maartje Bieshof gemaakt en daar heeft Gonda wat van te zeggen.'
'Maartje Bieshof? Eerlijk gezegd vind ik dat ook niet zo'n goede keuze. Jij moet je stand ophouden, jongen, en je niet te veel inlaten met kinderen van daggelders en knechten en zeker op jouw leeftijd niet met meisjes van het gewone volk.' Gerrit Cromhout loopt hoofdschuddend naar buiten en neemt zich voor een beetje in de gaten te houden met wie zijn zoon en opvolger omgaat. Het is ongetwijfeld nog kinderspel, maar je kunt niet vroeg genoeg beginnen met zo'n jongen te wijzen op de standsverschillen in het dorp.

Als Henk die avond in bed ligt, heeft hij een onbevredigd gevoel. Het komt zelden voor dat zijn vader kritiek heeft op dingen die hij doet, maar vandaag kreeg hij die wel. Niet omgaan met meisjes van het gewone volk. Ja, Maartje is de dochter van de knecht van de meelhandelaar, maar wat geeft dat nou. Hij vindt haar leuker dan de andere meiden, ook dan de meiden van rijke boeren. Maartje heeft er thuis niets van verteld dat ze met hem ging paardrijden. Achteraf gezien had hij ook beter zijn mond kunnen houden. Of juist niet? Tegen Maartje zei hij dat-ie het spannend vindt dingen te doen die niet mogen. En dat is natuurlijk ook zo. Als ze de volgende keer weer zin heeft, mag ze weer met hem mee. Of ze het thuis nou goed vinden of niet, maar hij zal wel een beetje voorzichtig zijn en niet open en bloot met haar door het dorp rijden.
Wat hij zich voorgenomen heeft, doet hij ook. Gedurende het laat-

ste schooljaar neemt hij Maartje nog vaak mee, maar ze ontmoeten elkaar buiten het dorp en hij zorgt ervoor dat ze op tijd thuis kan zijn.

'Ruim je kastje op en laat geen vieze inktlap achter,' zegt meester Fijma als voor de hoogste klas de laatste schooldag aangebroken is. De kinderen mogen daarna zelf bepalen waarmee de resterende tijd die dag zal worden doorgebracht en dan kiezen de meesten voor voorlezen door de meester. Voor de meeste kinderen is dat het enige wat ze echt zullen missen, want meester Fijma kan zó boeiend vertellen dat ze tijd en plaats vergaten en het steeds jammer vonden als de les afgelopen was.
Maartje Bieshof heeft een wat dubbel gevoel als ze op die laatste schooldag afscheid neemt van de meester. Eigenlijk zou ze, net als de andere kinderen, uitgelaten moeten zijn; ze gaat immers de vrijheid tegemoet. Maar is dat ook werkelijk zo? Gaat zij de vrijheid tegemoet of juist andersom? Als zij haar moeder goed beluistert, spreekt die altijd met weemoed over haar schooltijd en ze zegt dan dat het zware leven pas daarna begonnen is. Zal het haar ook zo vergaan? Ze weet het niet, maar wat ze wel weet is dat ze de eerste tijd thuis hard nodig zal zijn, want moeder is hoogzwanger en het zal niet lang meer duren of er komt weer een kindje. Dan telt hun gezinnetje, met vader en moeder mee, al acht personen. Maar ze is ook wel blij haar lieve moeder wat werk uit handen te kunnen nemen nu die met zo'n dikke buik rondloopt.
'Zo, nou gaat het zware leven beginnen, moe,' zegt Maartje als ze die dag thuiskomt.
'Waar heb jij het nou over?' vraagt Trees Bieshof verbaasd.
'Dat zeg jij toch altijd als je het over de jaren na je schooltijd hebt.'
'O, bedoel je dat.' Met een pijnlijk gezicht drukt moeder Trees haar handen in haar zij en kermt dat ze weer zo'n pijn in haar lenden heeft. 'Voor jou duurt het nog wel even voordat je het zwaar krijgt, hoor!' glimlacht ze. 'Was je laatste schooldag leuk?'
'Ja, meester Fijma heeft voorgelezen en dat kan hij toch zo goed.'
'Vertel mij wat; ik was vroeger ook gek op voorlezen. Een leuke tijd die schooltijd, maar daarna is het ook vaak leuk, hoor!' zwakt

ze haar eerdere uitlatingen wat af. 'Kinderen krijgen is zwaar, maar daar ben jij nog lang niet aan toe.'

Nee, aan kinderen krijgen is Maartje nog lang niet toe, maar als ze enkele weken thuis is, krijgt ze op een dag wel de schrik van haar leven. Bij het plassen ontdekt ze bloed in haar broekje. Helemaal overstuur komt ze bij haar moeder en huilt dat ze waarschijnlijk een ernstige ziekte heeft.
'Ik ga misschien wel dood, moe,' huilt ze, maar haar moeder aait haar liefkozend over haar bol en schudt haar hoofd.
'Jij gaat niet dood, hoor! Wat jij nu meemaakt, maken alle meisjes tussen de twaalf en zestien voor het eerst mee en het is niets om je ongerust over te maken.'
'Maar ik heb ook zo'n pijn in mijn buik,' steunt Maartje.
'Dat hoort er ook bij, kindje. Vanaf nu krijg je dit iedere maand en dat is heel normaal,' voorspelt haar moeder. 'Je bent nu een groot meisje.'
Al na enkele dagen is Maartje weer de oude, maar de schrik zit er toch nog een beetje in. Gelukkig dat haar moeder er is om haar gerust te stellen. Nu ze zich weer goed voelt, doet Maartje haar uiterste best het haar moeder zo goed mogelijk naar de zin te maken en dat lukt goed.

Een dagelijkse afleiding voor Maartje is het halen van melk op Madezicht. Deze hoeve ligt het dichtst bij hun huis en het is al jaren gebruikelijk elke dag drie liter melk te halen. Af en toe wordt ze verrast met een kan biest en daar hoeft ze geen cent voor te betalen. Ze is er bijna zeker van dat Henk er de hand in heeft. Als ze er helemaal zeker van zou zijn dan zou ze hem ervoor bedanken en hem dan misschien een klein kusje geven. Ze ziet hem nu bijna iedere dag, want ze komt op een tijdstip dat ze op de hoeve net theegedronken hebben en ze weet dat Henk dan de koeien gaat ophalen om gemolken te worden. Hij loopt dan vaak een eindje met haar mee en dan kunnen ze wat nieuwtjes uitwisselen. Het nieuwtje dat Maartje heeft is dat er thuis nu wel heel gauw een kindje bij zal komen, wa, dat ze er rekening mee moet houden dat ze al vlug nodig zal zijn. En dat blijkt twee dagen later al het geval.

‘Houd jij de kleintjes in bed, Maartje; ik moet Jans Streefkerk gaan halen.’ Met die woorden wekt Teun Bieshof zijn dochter als hij midden in de nacht op weg moet naar de vroedvrouw, omdat het zover is met zijn vrouw.
‘Maar moet moe dan alleen blijven?’ vraagt ze angstig. Ze moet er niet aan denken dat het kindje al geboren zou worden als Jans er nog niet is.
‘Ga af en toe maar even bij haar kijken, maar doe het stil zodat de kleintjes niet wakker worden.’
‘Goed, dat zal ik doen, pa; kom je gauw terug?’
‘Ik doe mijn best! Maak jij je nou maar niet zo druk; het komt allemaal best in orde.’ Vader Teun begrijpt dat zijn oudste zich zorgen maakt, want het is de eerste keer dat hij haar inschakelt bij een bevalling van zijn vrouw. Maar ze is inmiddels dertien en ze gelooft dus niet meer in de ooievaar.
Als het helemaal stil wordt in huis weet Maartje dat haar vader buiten en onderweg naar de vroedvrouw is. Ze blijft nog even liggen, maar dan wil ze toch wel weten hoe het met moe gaat en dus sluipt ze op haar tenen naar beneden.
‘Is alles goed, moe?’ vraagt ze fluisterend bij het openstaande deurtje van de bedstee waarin ze haar moeder weet. In de kamer brandt een lampje, zodat het niet helemaal donker is.
‘Het gaat wel, hoor!’ reageert moeder Trees, maar ze vraagt Maartje wel het fornuis wat op te stoken en een ketel water op te zetten. ‘Blijf maar even bij me, meissie,’ zegt ze als Maartje klaar is met het fornuis en de ketel water erop staat.
‘Wat is er, moe?’ schrikt Maartje als haar moeder kermt van de pijn.
‘Dat zijn de weeën; haal maar even een doekje om mijn gezicht af te drogen, want ik zweet zo. Draai ook de lamp een beetje hoger, zodat je wat kunt zien.’
‘Het kindje komt toch nog niet, hè moe?’ Terwijl Maartje het gezicht van haar moeder afdroogt krimpt die weer ineen van de pijn door een nieuwe wee. Een bevalling heeft ze nooit eerder meegemaakt. Ze werd steeds angstvallig uit de buurt van haar barende moeder gehouden, dus is alles nieuw voor haar.
Moeder Trees weet dat en ondanks de pijn en de zorg tracht zij

haar dochtertje gerust te stellen. 'Maak je maar geen zorgen, hoor! Het kindje komt nog lang niet,' fluistert ze een beetje tegen beter weten in, want de weeën volgen elkaar nu wel erg snel op. Maar Maartje gelooft haar moeder maar al te graag. Moe zal het wel weten, het is tenslotte haar zesde kindje.
Dan horen ze de trap kraken en daalt de tienjarige Annie de trap af. 'Ik werd wakker omdat ik hoorde praten en ik heb ook dorst. Ben je ziek, moe? Waar is pa dan?' Het zijn allemaal vragen waarop noch Maartje, noch moeder een passend antwoord hebben.
'Ga maar een kroes water bij de pomp drinken en kruip dan weer vlug in bed, kindje. Het gaat alweer een beetje beter, hoor!' Een leugentje om bestwil en Annie is te slaperig om verder door te vragen. Als ze weer in bed ligt horen ze gestommel in het portaaltje en ze zijn blij als Teun en Jans arriveren.
Een snelle blik in de bedstee en een paar woorden van de kraamvrouw stellen Jans gerust. Als ze ook nog hoort dat er al een ketel water op het fornuis staat, krijgt Maartje een compliment, maar tevens de opdracht vlug weer onder de wol te kruipen. 'Ga jij nog maar wat slapen, want je zult het de komende dagen druk genoeg krijgen,' zegt ze en dat doet Maartje dan maar. Moe is ze wel, maar slapen kan ze niet en ze wil het ook eigenlijk niet. Het kleine huisje met de dunne wandjes is erg gehorig en dus kan ze de bevalling op de voet volgen. Ze schrikt van de kreetjes van haar moeder, maar is dan weer wat gerustgesteld als ze de kalmerende woorden van de vroedvrouw hoort. Het duurt allemaal erg lang, maar dan hoort ze tot haar schrik plotseling een kreet van haar moeder en kort daarop kindergeschrei en dan weet ze dat het kleintje geboren is. Als het met moe nu ook maar goed gaat. Ze zou graag naar beneden gaan, maar dat durft ze niet. Van de vorige keer weet ze nog dat er met Jans Streefkerk niet te spotten valt. Toch waagt ze het na een kwartiertje naar beneden te gaan en dan blijkt dat de vroedvrouw zowel moeder als kind verzorgd heeft en dat ze even mag kijken. Ook haar vader zit bij de bedstee en samen bewonderen ze het kleine meisje.
'Gaat het weer een beetje, moe?' vraagt Maartje. Ze was benieuwd naar het kindje, maar ze wilde toch ook wel graag

weten hoe het met haar lieve moeder gaat. Dat een bevalling een pijnlijke gebeurtenis is, heeft ze inmiddels wel begrepen.
'Ja, het gaat wel weer, hoor!' reageert moeder Trees op de vraag van haar oudste. Ze streelt haar over haar wang en dan mag ze het kindje even vasthouden.
'Net een klein moedertje,' lacht vader Teun. Ook hij is opgelucht dat ook deze bevalling weer goed afgelopen is. Zes kinderen heeft hij al, dus begint het zo langzamerhand wel een volle bak te worden in het kleine huisje.
'Als jij je wast en aankleedt dan kun je me straks mooi helpen,' zegt Jans en dus loopt Maartje naar de pomp om zich op te frissen en als ze haar kleren aan heeft, helpt ze de vroedvrouw met het klaarmaken van het ontbijt, want al met al is het al bijna halfzeven en is het voor vader Teun hoog tijd om naar de meelhandelaar te gaan. Hij moet ook nog naar het gemeentehuis om zijn dochter aan te geven, maar praktisch als hij is wil hij dat combineren met een bezorgrit.
'Als ze je met je stuivende meelpak maar toelaten in het gemeentehuis,' lacht Jans, maar Teun wuift haar bezwaren weg.
'Boeren die onder de stront zitten laten ze ook toe, dus ik zou niet weten waarom mij dan niet. Meel stinkt niet.'
'Vergeet je trouwboekje niet, Teun,' waarschuwt ze nog en dat is maar goed ook, want daar had hij niet aan gedacht.
Niet alleen het werk van vader Teun, maar ook het huishouden gaat gewoon door. De kinderen moeten ontbijten en op de jongste na moeten ze daarna naar school. Hun stikkenzakken moeten gevuld worden met boterhammen die ze meenemen naar school. Maartje doet het allemaal geroutineerd en dat wekt de bewondering van Jans.
'Jij zal later een goede huisvrouw worden,' prijst ze en Maartje is dan trots op de lof van de vroedvrouw.

Afgesproken is dat tante Dora zal komen bakeren als de vroedvrouw weg is. Dora Dussel is de ongetrouwde zuster van de kraamvrouw en ze is even oud als Teun. Zij woont alleen in een klein huisje en verdient de kost met naaiwerk en af en toe bakeren. Dat laatste trouwens alleen als het nodig is, want zelf zonder man en kinderen is het voor haar steeds weer een bezoeking de vreugde van de geboorten in de gezinnen te zien zonder er zelf deelgenoot van te kunnen zijn. Voor haar zuster Trees doet zij het graag. Ooit was ze wel jaloers op haar, want eigenlijk had zij haar zinnen op Teun Bieshof gezet en nog vindt ze hem een aantrekkelijke man.

'Is het zover, Teun?' vraagt ze als haar zwager die ochtend bij haar voor de deur staat.

'Ja, ik heb er weer een dochtertje bij, Dora.'

'Is alles goed met Trees?'

'Gelukkig wel. Ze rust nu uit, want het was toch wel weer een zware bevalling. Maar het is een mooi kindje.'

'Dat kan ook bijna niets anders met zo'n vader,' lacht Dora.

'En als ik nou zeg dat ze op haar moeder lijkt?'

'Laat ik het wonder dan maar eens met eigen ogen gaan aanschouwen,' besluit Dora en ze maakt zich gereed om met haar zwager mee te gaan.

'Jij komt me aflossen,' zegt Jans tevreden als ze Dora ziet komen. De twee kennen elkaar goed en hebben ook waardering voor elkaar. Voor welgestelde vrouwen is het leuk na de bevalling weer iets nieuws te kunnen dragen en het komt nogal eens voor dat Jans zo'n kraamvrouw adviseert contact op te nemen met Dora Dussel en dat doen ze dan ook vaak. Dora houdt er zodoende nogal wat opdrachten aan over. Aan deze bevalling zal zij geen opdrachten overhouden, want met zes kinderen zal haar zus Trees wel iets anders aan haar hoofd hebben dan nieuwe kleren aanschaffen. Als ze die nodig heeft wil zij ze voor een vriendenprijsje trouwens wel maken.

Afspraak is dat Dora overdag bakert, maar 's avonds teruggaat naar haar eigen huisje elders in het dorp. 's Nachts moet Teun zich dus alleen zien te redden, maar dat is hij zo langzamerhand wel gewend. Hij ziet er wel tegenop, want overdag moet hij hard werken en hij heeft zijn nachtrust dus hard nodig. Die nachtrust wordt vlak na een geboorte wel erg vaak verstoord, maar hij weet dat het er nou eenmaal bij hoort. In een huwelijk moet je de lusten en de lasten willen dragen. Vergeleken bij zijn vrouw heeft hij een makkie. Als zijn dochtertje, dat ze Truusje genoemd hebben, huilt,

haalt hij haar uit het kribbetje dat op een plank achter in de bedstee staat en legt haar bij Trees aan de borst. Als het nodig is geeft hij haar ook nog een schone luier.
Zo verloopt de eerste nacht na de bevalling normaal, maar de tweede nacht is dat anders. Trees is erg onrustig en reageert niet als Truusje huilt. Ze is ook bijna niet aanspreekbaar en blijkt hoge koorts te hebben. Ook al omdat de kleine voortdurend huilt, wordt Teun uiterst nerveus en gaat vlug naar het kamertje waar Maartje slaapt.
'Wakker worden, Maartje! Er is iets met moe. Ga jij zolang bij haar in de bedstee liggen en probeer de kleine stil te houden met een dotje natte suiker of zoiets.'
'Wat is er dan met moe?' vraagt Maartje. Ze is gewekt in haar eerste slaap en schrikt zich een ongeluk.
'Dat weet ik niet, maar ik voel wel dat ze koorts heeft. Daarom ga ik tante Dora halen.'
Terwijl Teun zich naar zijn schoonzuster spoedt, kruipt Maartje bij haar moeder in de bedstee en schrikt nog harder als die helemaal niet op haar vragen reageert. Truusje huilt hartverscheurend en dus bekommert zij zich eerst maar om haar.
Inmiddels is Teun bij Dora aangekomen en die reageert ook erg ongerust op het verhaal van haar zwager. 'Voordat we naar je huis gaan, moeten we langs de dokter, hoor!' vindt zij en dat doen ze dan ook. 'Ik wil je niet ongerust maken, Teun, maar het bevalt mij niets dat Trees zo kort na de geboorte van Truusje koorts heeft.' Zelf denkt ze aan kraamvrouwenkoorts, maar dat durft ze niet tegen Teun te zeggen.
Aangekomen bij dokter Kronestijn schrikken ze beiden van het harde geluid van de bel in de hal van het doktershuis. 'Ik hoop maar dat hij thuis is,' zegt Dora als er niet meteen opengedaan wordt, maar dan horen ze iemand sloffen in de gang en even later steekt de meid van de dokter haar slaperige hoofd om de hoek van de deur.
'Wat een herrie!' bromt ze, maar als ze Dora ziet bindt ze in. Ze kent Dora Dussel en ze weet dat die niet voor een kleinigheid doktershulp inroept. Als Dora dan ook heeft uitgelegd wat er aan de hand is, wordt de dokter gewaarschuwd en als die van Dora

dezelfde informatie krijgt, belooft hij meteen te zullen komen.
'Gelukkig dat jullie er zijn,' steunt Maartje als ze haar vader en tante ziet. 'Moe reageert niet en Truusje blijft maar huilen.'
'Die heeft natuurlijk honger,' stelt Dora vast. 'Maak maar melk warm en zoek een flesje met een speen,' zet ze Maartje aan het werk. Die is blij dat ze iets doen kan om de toestand een beetje te verbeteren.
Truusje trekt haar gezichtje in rare grimassen als Maartje haar de speen in haar mondje drukt, maar ze drinkt en naarmate ze meer melk binnenkrijgt, wordt ze stil.
Intussen onderzoekt dokter Kronestijn de kraamvrouw en hij kijkt bedenkelijk. Gevallen van kraamvrouwenkoorts heeft hij al vele malen meegemaakt en niet zelden met dodelijke afloop.
'Is het erg, dokter?' vraagt Teun zenuwachtig, maar de dokter kan hem geen duidelijk antwoord op zijn vraag geven.
'We moeten haar goed in de gaten houden,' is ten slotte zijn conclusie. 'In de loop van de dag kom ik terug,' belooft hij. Die belofte geeft de anderen wat rust, maar de koorts blijft en Trees heeft constant erge dorst.
Als dokter Kronestijn aan het einde van de ochtend komt kijken hoe de situatie is, trekt hij diepe denkrimpels in zijn voorhoofd als hij hoort dat ze zo'n dorst heeft. Het zijn duidelijke symptomen van kraamvrouwenkoorts en die mening wordt nog versterkt als hij constateert dat zij een lage en snelle pols heeft. 'Als er veranderingen in haar toestand optreden moet je me meteen waarschuwen, Bieshof,' zegt de dokter, maar hij zegt wel toe de eerste dagen de patiënte zelf ook in de gaten te zullen houden.
Als hij later paars-blauwe vlekken op de huid van Trees ziet verschijnen, moet hij de familie op het ergste voorbereiden. Kort daarna is het huis van Teun Bieshof in rouw gedompeld. Moeder Trees heeft het kraambed niet overleefd. Teun blijft achter met zes kinderen, waarvan de oudste dertien jaar en de jongste enkele dagen oud is.
Er heerst grote verslagenheid in het kleine huisje. Maartje kan het nog niet bevatten dat haar lieve moeder dood is. Telkens barst ze in snikken uit, maar tante Dora maant haar tot kalmte. 'Je maakt de anderen ook helemaal van streek, meisje,' zegt ze zacht. 'Jij

bent de oudste en je moet proberen je zusjes en broertjes een beetje op te vangen.'
'Maar ga jij dan weg, tante?' vraagt ze, maar Dora schudt haar hoofd.
'Ik laat jullie onder deze omstandigheden niet in de steek, maar jij moet me een beetje helpen.'

Dokter Kronestijn moet officieel de dood van Trees Bieshof vaststellen en dat is ook voor hem een plicht die hem aangrijpt. Regelmatig wordt hij geconfronteerd met het overlijden van patiënten, maar als het gaat om de dood van een moeder met een groot gezin, dan heeft hij het daar erg moeilijk mee. Ook pastoor Huibrechts heeft er zijn handen aan vol de bedroefde familie te troosten. Hij spreekt troostende woorden, maar hij beseft dat ze maar een heel klein pleistertje zijn op een afschuwelijke wond. Onder aanvoering van de pastoor bidden ze voor het zielenheil van moeder, maar het gebed wordt steeds onderbroken door het snikken van de kinderen. Maartje heeft haar armen om de schouders van haar zusjes geslagen en ook zij probeert te troosten. Vader Teun zit er verslagen bij, maar hij mag niet bij de pakken neer gaan zitten. De rouwdienst en de begrafenis moeten worden geregeld en de dood van zijn vrouw moet in de buurt worden aangezegd. Het valt hem zwaar, maar het leidt hem ook een beetje af. De rouwdienst en de begrafenis zijn enkele dagen later trieste gebeurtenissen en de hele bevolking leeft mee met het zo zwaar getroffen gezin van Teun Bieshof.

Na de begrafenis gaat de familie van Teun en Trees nog even mee naar het sterfhuis waar tante Dora met de hulp van Maartje voor koffie en wat brood gezorgd heeft. Evenals de begrafenis is ook deze koffietafel uiterst sober, maar de familieleden hebben er begrip voor en ze blijven ook maar kort. Als iedereen weg is, valt er een ijzige stilte in de kleine huiskamer. 'Helpen jullie maar mee de boel op te ruimen,' verbreekt tante Dora die stilte en daar doet ze goed aan, want alles is beter dan het zwijgend bij elkaar zitten.
'Hoe moet het nou verder, Dora?' vraagt Teun als hij wat later even samen is met zijn schoonzuster.

‘Goeie vraag, Teun. De bedoeling was dat ik een weekje kwam bakeren, maar niemand kon voorzien dat deze rampspoed ons zou treffen.’
‘Nee, zeg dat! Het komt zó onverwacht en ik ben zó kapot van verdriet, dat ik me nog niet goed realiseer dat ik er nu met zes kinderen alleen voor sta. Natuurlijk kan Maartje wat helpen, maar het kind is te jong om het hele gezin draaiende te houden. Hoe moet dat nou?’ Teun steunt zijn hoofd in zijn handen en hij kijkt zijn schoonzuster met een radeloze blik aan.
‘We zijn allemaal kapot van verdriet, Teun, maar ik realiseer me dat ik de enige ben die dat verdriet een beetje kan temperen door je mijn steun toe te zeggen. Ik kan het echt niet over mijn hart verkrijgen jou met zes kinderen in de steek te laten.’
‘Meen je dat, Dora?’ Teun staat op en grijpt de beide handen van zijn schoonzuster en tranen van dankbaarheid biggelen over zijn wangen.
‘Ja, ik meen het, jongen.’ Door de tranen van haar zwager is ook Dora geëmotioneerd. Maar er is meer. Evenals alle leden van het gezinnetje heeft zij veel verdriet om het overlijden van haar zuster, maar toch gloort er voor haar wat hoop. Hoop het leven blijvend te kunnen delen met de man die zij ooit liefhad en die nog steeds een warm plekje in haar hart heeft. Ze beseft dat het erg zwaar zal zijn de zorg voor zo’n groot gezin op zich te nemen, maar ook de kinderen hebben recht op een moeder. De plaats van hun overleden moeder zal zij nooit helemaal kunnen innemen, maar door liefde aan de kinderen te geven zal zij zeker ook liefde terug ontvangen. Niet alleen van de kinderen, maar ook en vooral van Teun.
Toen Trees, die drie jaar jonger was dan zij, destijds verkering kreeg met Teun Bieshof, was zij erg jaloers en eigenlijk is zij dat door de jaren heen gebleven. Als jongens zich in haar gunst verdrongen, want zij was niet lelijk toen ze jong was, vergeleek zij ze steeds met Teun en die vergelijking viel meestal in het nadeel van de aspirantvrijer uit. Tot ze ouder werd en er geen vrijers meer kwamen opdagen.
Door haar naaiwerk en bakeren komt Dora veel onder de mensen, dus echt verzuurd is ze niet. Ze houdt van kinderen en voor haar

is het dus een dubbel gemis ze niet van zichzelf te hebben. Om ineens de zorg te dragen voor een man met zes kinderen is wel wat te veel van het goede, maar ze staat er niet helemaal alleen voor.

Als de scherpe kantjes van het verdriet er na enkele maanden wat vanaf gesleten zijn, gaat alles in het gezin weer min of meer zijn gewone gangetje. Maartje is haar tante tot grote steun en ze kunnen het samen wel vinden, maar zij wordt wel een beetje stug en onhandelbaar als tante Dora haar genegenheid voor Teun wat te nadrukkelijk laat blijken. Het zijn onschuldige dingetjes, maar Maartje kan er slecht tegen. Tante Dora weet niet goed hoe ze daarmee om moet gaan. Ervaring met meisjes van dertien heeft ze niet, maar ze weet wel dat meisjes van die leeftijd de geleidelijke overgang van kind naar vrouw doormaken en dus aanvoelen wat liefde of genegenheid voor een man betekent.
Op een dag maakt Maartje er een nare opmerking over en dat schiet tante Dora in het verkeerde keelgat.
'Ik wil niet dat jij je bemoeit met mijn houding ten opzichte van je vader, Maartje,' zegt ze streng.
'Houding?' Maartje kijkt haar tante met een kritische blik aan. 'Ik bemoei me nergens mee, maar ik vind dat gefleem nergens voor nodig.'
'Jij durft veel te zeggen, meissie!' Tante Dora is duidelijk in haar wiek geschoten en ze vindt het eigenlijk nogal brutaal van dat jonge ding om zo te reageren. 's Avonds als ze alleen met Teun in de kamer is en die vraagt hoe het vandaag gegaan is, schudt ze haar hoofd.
'Is er iets, Dora?' Teun merkt aan haar reactie dat er iets aan schort.
'Ja, er is iets, Teun. Maartje volgt mijn doen en laten de laatste tijd nogal kritisch en als ik er iets van zeg, dan krijg ik een grote mond.'
'Over wat voor doen en laten heb je het dan, Dora?'
'Och, niks bijzonders.' Dora vindt het nogal moeilijk precies uit te leggen wat Maartje zo stoort. Haar gevoelens voor Teun zijn de laatste maanden gegroeid, maar ze wil ze niet te veel blootleggen.

Ze weet dat haar zwager veel van Trees gehouden heeft en dat ze nog elke minuut van de dag in zijn gedachten is. Daar botweg tussenkomen met haar genegenheid of zelfs liefde voor hem, wil ze niet.
'Maar jij hebt het over een grote mond van Maartje; wat zegt ze dan?' Teun voelt wel zo'n beetje aan waar de schoen wringt, want ook hij heeft wel gemerkt dat zijn schoonzuster erg op hem gesteld is. Dat is trouwens niet van vandaag of gisteren; Trees beklaagde zich in hun verkeringstijd er al over dat Dora zich zo jaloers gedroeg. Als Maartje iets aan te merken heeft op het doen en laten van haar tante, dan moet het daarmee te maken hebben. Hij zegt het ook en Dora knikt.
'Ja, dat is het, Teun. Ik mag jou graag en ik heb medelijden met je. Die gevoelens mag ik toch wel een beetje laten blijken?'
'Natuurlijk mag je dat, Dora, maar je moet begrijpen dat Maartje het overlijden van haar moeder nog lang niet verwerkt heeft. Ik denk dat we maar wat geduld met haar moeten hebben.'
'En ik mag me van 's morgens vroeg tot 's avonds laat uitsloven en me dan nog een grote mond laten welgevallen op de koop toe. Waar heb ik dat aan verdiend, Teun?'
'Wij waarderen jou allemaal heel erg, Dora. Ook Maartje, hoor! Je moet je door een nare opmerking van dat meisje niet van de wijs laten brengen. Zij meent het echt zo kwaad niet.'
'Nee, dat weet ik ook wel, maar leuk vind ik het niet.' Dora gaat verder met haar naaiwerk, maar ze is eigenlijk niet helemaal tevreden met de reactie van Teun. Ze zit tussen twee vuren in. Er zal een keuze gemaakt moeten worden. Of zij of Maartje zal het veld moeten ruimen. Teun in de steek laten wil ze niet, dus wie moet wijken is wel duidelijk.

HOOFDSTUK 2

'Kon je er even tussenuit, Dora?' De vraag wordt gesteld door Lien Overduin, de vrouw van de slager uit Adedorp en een goede vriendin van Dora Dussel.

'Het is mooi weer en ik had er behoefte aan er voor een paar uurtjes uit te breken, Lien. Je kunt je niet voorstellen wat het betekent van de ene op de andere dag de verantwoordelijkheid te krijgen voor een gezin van zes kinderen.' Dora nipt genietend van haar koffie en accepteert graag het door Lien aangeboden koekje. Het rustige gezinnetje van haar vriendin is voor even een verademing voor haar. Lang kan ze niet wegblijven, want ze heeft Maartje beloofd tegen twaalven terug te zullen zijn. De verhouding tussen haar en Maartje is de laatste tijd iets verbeterd, maar dat komt vooral omdat zij het meisje geen reden meer geeft zich te ergeren. Soms betrapt zij zichzelf erop dat ze eerder nors dan vriendelijk tegen Teun doet en waarom? Ja, waarom eigenlijk? Zij vraagt het zich af, maar tegelijkertijd weet ze het antwoord op die vraag wel. Zij doet zó haar best haar genegenheid voor Teun niet te laten blijken, dat ze een tegenovergestelde houding aanneemt.

'Jij hebt het druk met het grote gezin en ik met de zaak, Dora,' reageert Lien. 'Als alles normaal is kan ik het wel aan, maar ik zit nu met een probleem. Het huishouden kan ik grotendeels overlaten aan mijn hulpje, maar die gaat weg. Haar vader heeft een baan gekregen in een ander dorp en dus gaan ze verhuizen.'

'Zoek je een meisje?'

'Ja, liefst een meisje voor dag en nacht. Dat heb ik mijn hulpje ook aangeboden, maar haar ouders zijn erop tegen. Jammer hoor, want ze is goed voor haar werk.'

'Hoe oud is ze?'

'O, nog erg jong, hoor! Enkele maanden geleden is ze veertien geworden.'

'Ik zoek eigenlijk een dienstje voor Maartje, de oudste dochter van Teun. Zij wordt binnenkort veertien.'

'Maar kun je haar dan wel missen, Dora? Ik neem toch aan dat ze je een hoop werk uit handen neemt.'

'Dat is wel zo, maar ik ben gewend mijn zaakjes goed te organi-

seren en het zal me zonder Maartje ook wel lukken, maar er is nog een reden, Lien.'
'Welke dan? Ik kan me voorstellen dat zo'n groot gezin veel geld kost, dus als je een mond minder te vullen hebt en er ook nog wat extra geld binnenkomt, dat dat je zorgen wat zal verlichten,' veronderstelt Lien.
'Dat klopt wel, maar dat is niet mijn voornaamste reden. Jij kent me al vanaf de tijd dat mijn zuster Trees verkering kreeg met Teun Bieshof.'
'Ja, en dat jij zo jaloers op haar was.'
'Precies! Je mag best weten dat Teun nog steeds een warm plekje in mijn hart heeft, maar als ik mijn genegenheid wat te duidelijk laat blijken, zet Maartje haar stekels op.'
'En zo'n pottenkijkertje ben je liever kwijt dan rijk, begrijp ik.'
'Dat klinkt wel erg hard, Lien, want ik zal haar echt wel missen. Maartje is een lief en aanhankelijk meisje, maar ik krijg er iets van de hele dag op mijn hoede te moeten zijn.'
'Je verhaal is me duidelijk, Dora. Ik wil die Maartje graag leren kennen en als ze me aanstaat kan ze hier voor dag en nacht terecht.'
'Ik bespreek het vanavond nog met Teun en Maartje en als ze het met me eens zijn, dan kom ik morgen met haar langs, goed?'
'Dat is goed, Dora. Ik wil je niet wegjagen, maar als jij om twaalf uur thuis wilt zijn, moet je nu gaan fietsen,' zegt Lien op de klok kijkend.
'Je hebt gelijk; ik moet opschieten. Waarschijnlijk tot morgen, dag!' Nog een zwaai en Dora is om de hoek van de straat verdwenen.

'Is het gelukt met het eten, Maartje?' vraagt ze als ze terug is in het drukke gezinnetje van Teun. Die ochtend vroeg hebben ze samen aardappelen geschild en groente gesneden, zodat Maartje alleen nog hoefde te koken en dat kan ze al heel aardig.
'Ja hoor! Ik moet de aardappelen nog even afgieten en dan kunnen we eten. De tafel heb ik al gedekt.'
'En ik heb geholpen, tante Dora,' eist Annie van tien ook een deel van de eer op.

‘Goed zo!’ reageert Dora. ‘Maartje kan al koken en jij moet het zo langzamerhand ook maar een beetje gaan leren.’ Ze aait de kleine meid over haar blonde koppie en bedenkt dat Annie een deel van de taken van Maartje zal moeten overnemen als die voor dag en nacht in betrekking gaat. Daar moet ze het vanavond eerst met Teun en later ook met Maartje over hebben. Ze ziet wel een beetje tegen die gesprekken op, want haar voorstel zal Teun wel rauw op z’n dak vallen en hoe Maartje zal reageren, moet ze afwachten.

Nadat ze die avond boterhammen gegeten hebben, gaat Maartje naar een vriendinnetje en even later gaat de rest van de kinderen naar bed, zodat Dora even alleen is met Teun. Ze schenkt hem nog een keer koffie in en zit dan wat onrustig op haar stoel te schuiven, staat af en toe op en gaat dan weer zitten.
‘Heb je peper in je gat?’ vraagt Teun lachend. ‘Je bent zo ongedurig vanavond.’
‘Nee, ik heb een voorstel, Teun en dat wil ik met je bespreken. Je weet dat ik vanmorgen bij Lien Overduin geweest ben en mijn voorstel heeft met dat bezoek te maken.’
‘Ik ben een en al oor.’ Hij reageert nogal luchtig, maar schijn bedriegt. Aan Dora merkt hij dat ze gespannen is en dat baart hem zorgen. Hij kent Lien al vanaf zijn verkeringstijd met Trees. Als hij op een verjaardag bij zijn schoonouders was, was die vriendin van Dora ook altijd van de partij. Een nogal bijdehand meisje. Eentje die het niet in haar hoofd zou halen de zorg voor het gezin van haar overleden zuster op zich te nemen. Misschien heeft ze Dora voor gek verklaard dat die dat wel gedaan heeft.
‘Luister dan, Teun. Het hulpje van Lien is deze week voor het laatst. Haar ouders trekken weg uit Adedorp en zij gaat mee. Hoewel Maartje mij veel werk uit handen neemt, denk ik dat ik het zonder haar hulp ook wel zal redden. Annie wordt al een flinke meid en kan wel wat van de taken van Maartje overnemen.’
‘En wat is je voorstel, Dora?’
‘Dat Maartje voor dag en nacht bij Lien in betrekking gaat.’
Dora leunt achterover in haar stoel en let op het gezicht van Teun. Dat straalt verbazing en ongeloof uit.

'Maartje voor dag en nacht in betrekking?' herhaalt hij de woorden van zijn schoonzuster. 'Meen je dat?' Hij moet dit afschuwelijke voorstel even op zich laten inwerken. Eerst al is zijn vrouw hem ontvallen en nu raakt hij ook zijn oudste dochtertje kwijt. Kwijt is een groot woord, maar als een dienstmeisje voor dag en nacht in betrekking gaat, dan is ze hooguit één zondag in de twee weken vrij. Zo verging het tenminste zijn eigen zusters.
'Ja, ik meen het.' Dora had wel verwacht dat Teun van haar voorstel zou schrikken, maar nu kijkt hij haar met een zo'n ongelukkige blik aan dat zij er zelf van schrikt.
'Maar kun je haar echt wel missen?'
'Ik zei toch dat ik het zonder Maartje wel zal redden en dat Annie ook wel wat taken van haar kan overnemen. Bovendien hebben we een mond minder te vullen en brengt ze nog wat geld binnen ook.'
'Daar heb je wel gelijk in, maar het kind is nog zo jong.' Teun heeft er heel veel moeite mee zijn meisje bij een voor haar vreemde mevrouw achter te laten, maar Dora zal haar zin wel willen doordrijven. Zij beschouwt zijn dochtertje natuurlijk als een pottenkijker en wil haar kwijt.
'Jouw zusters waren even oud als Maartje toen ze voor dag en nacht in betrekking gingen, Teun. Dat ben je toch niet vergeten.'
'Nee, dat ben ik niet vergeten, maar je overvalt me nogal met je voorstel.'
'Toch vind ik dat je er wel mee akkoord moet gaan, hoor!'
'Ja, ja natuurlijk... eh... als jij het wilt,' hakkelt Teun. Maartje kan hij slecht missen, maar Dora helemaal niet; de keuze is dus niet moeilijk.
'Goed, als Maartje straks thuiskomt zullen we het met haar bespreken,' smeedt Dora het ijzer nu het heet is.
'Meteen vanavond?'
'Waarom zouden we het uitstellen? Trouwens, ik heb Lien beloofd morgen met Maartje langs te zullen komen om een en ander te bespreken.'
'Nou, vooruit dan maar.' Zuchtend geeft Teun zich gewonnen, maar zijn hart krimpt ineen als hij in gedachten het vrolijke

gezichtje van zijn dochter ziet. Zal zij straks nog zo vrolijk kijken? Hij betwijfelt het sterk.

'Voordat je naar bed gaat willen we nog even met je praten, Maartje,' zegt Dora. Het klinkt een beetje officieel en dat verbaast Maartje.
'Praten? Waar gaat het dan over?' Zij kijkt beurtelings haar vader en haar tante Dora aan.
'Ga maar even zitten, meisje, dan zal tante Dora wel vertellen wat we van plan zijn.' Hij zegt nadrukkelijk 'we' om bij zijn dochter de indruk weg te nemen dat tante Dora alles alleen bekokstoofd heeft. Het is in feite wel zo, maar dat hoeft Maartje niet te weten en bovendien moet hij Dora een beetje uit de wind houden.
'Weet jij hoeveel meisjes waarmee jij gelijktijdig van school gegaan bent, al een dienstje hebben, Maartje?' vraagt Dora. Het is heel handig van haar het voorstel dat zij heeft, op deze manier in te leiden. Het moet in de ogen van haar nichtje de gewoonste zaak van de wereld zijn dat je na je schooljaren een dienstje als dagmeisje of voor dag en nacht aanvaardt. Ze weet wel zeker dat dat voor veel dochters van daggelders en knechten geldt.
'Hoeveel precies weet ik niet, maar ik denk toch wel minstens de helft. De dochters van rijke boeren werken meestal thuis, zoals ik,' reageert Maartje.
'Maar jouw vader is geen rijke boer, en dus lijkt het ons goed dat jij ook in betrekking gaat.'
'Ik? Maar hoe moet het dan hier? Je kunt me toch niet missen, tante.' Maartje wordt beurtelings rood en bleek.
'Het zal wat moeilijker voor me worden, maar met de hulp van Annie red ik het wel. De kans die je nu krijgt kunnen we niet laten schieten.'
'Heb je dan al iets op het oog?'
'Je weet dat ik vandaag bij mijn vriendin Lien Overduin geweest ben. Toevallig hoorde ik van haar dat haar hulpje deze week voor het laatst is en zij een meisje voor dag en nacht zoekt. Dat lijkt me nou echt iets voor jou.'
'Voor dag en nacht?' Maartje kijkt heel beteuterd en het huilen staat haar nader dan het lachen.

‘Misschien krijg je wel een eigen kamertje en je krijgt natuurlijk geregeld een zondag vrij en dan kom je fijn naar huis.’ Vader Teun spiegelt haar de toekomst wat rooskleuriger voor dan waar hij zelf in gelooft, maar wat moet hij anders? Hij heeft medelijden met zijn meisje en het liefst zou hij zeggen dat ze niet hoeft als ze er geen zin in heeft, maar dat gaat helaas niet.
‘En wanneer moet ik dan beginnen?’ Maartje moet een paar keer slikken om haar tranen de baas te blijven.
‘We gaan morgen samen naar mevrouw Overduin en dan bespreken we alles. Ga nu maar slapen, zodat je morgen goed uitgerust bent.’
‘Dan ga ik maar, welterusten.’ Als een geslagen hond druipt ze af en de bedroefde, enigszins verwijtende blik die ze nog op hem werpt, snijdt vader Teun als een mes door het hart.

Eenmaal in bed ligt Maartje op haar rug met open ogen in het donker te staren. Slapen kan ze niet, want de woorden die ze in het zojuist beëindigde gesprek gehoord heeft, dreunen nog na in haar hoofd. Voor dag en nacht in betrekking bij een wildvreemde mevrouw in Adedorp. Een kans die ze niet mag laten schieten. Waarom eigenlijk niet? Wat is er zo bijzonder aan een dienstje bij die slagersvrouw? Maar ze begrijpt het wel. Tante Dora wil haar kwijt en niets anders. Aan de ogen van pa heeft ze gezien dat hij het er eigenlijk niet mee eens is, maar hij zit tussen twee vuren in. Hij moet tante Dora wel haar zin geven, want hij is van haar afhankelijk. Als zij er de brui aan geeft, is voor hem de ramp niet te overzien. Maar nu moet Maartje weg. Weg uit hun gezinnetje, weg van de kleintjes, weg van pa en ook nog weg uit haar eigen vertrouwde dorp. Haar kussen wordt nat van de tranen als ze zich realiseert wat er met haar gaat gebeuren.
Lang ligt ze nog wakker en als ze eindelijk van vermoeidheid in slaap gevallen is, wordt ze door de genadeloos ratelende wekker opgeschrikt. Haar kussen voelt nog nat aan en daarom keert ze ook snel terug tot de werkelijkheid. Vandaag gaat ze, samen met tante Dora, naar Adedorp. Vandaag valt de beslissing. Met een moedeloos gebaar schuift ze de dekens van zich af en stapt uit bed. Bij de pomp frist ze zich wat op en gaat daarna gauw tante

Dora helpen met het ontbijt. Zelf eet ze haar boterhammen met lange tanden op. Het is zaterdag, dus de kinderen hoeven niet naar school. Terwijl tante Dora en Maartje weg zijn, zal Annie op de kleintjes passen en de buurvrouw heeft beloofd een oogje in het zeil te zullen houden.

'Spring maar achterop, Maartje,' zegt tante Dora monter als ze haar fiets uit het schuurtje gehaald heeft. Ze ziet wel aan de roodomrande ogen van haar nichtje dat die een zware nacht gehad heeft en ze vindt het ook wel zielig, maar nu moeten ze toch even door de zure appel heen bijten. Het is begin september en er staat een fris windje. Dat zorgt ervoor dat Maartje bij aankomst in Adedorp weer wat kleur op haar wangen heeft.
'Zo, jullie zijn er vroeg bij,' begroet Lien Overduin haar bezoek. 'Ik begrijp dat jij Maartje bent,' zegt ze en Maartje knikt. 'Kom maar binnen, dan kunnen we even praten,' gaat ze verder, maar ze voegt er wel aan toe dat ze niet veel tijd heeft. 'Het is zaterdag en dan is het in de winkel drukker dan op doordeweekse dagen.'
'We hebben ook niet zoveel tijd nodig, Lien,' meent Dora.
'Heb je Maartje verteld wat haar ongeveer te wachten staat?'
'Ik heb haar verteld dat het een dienstje is voor dag en nacht en dat we de details vandaag met jou zullen bespreken.'
'Laten we daar dan maar meteen mee beginnen.' Ze scharen zich rond de tafel in de huiskamer en dan worden er spijkers met koppen geslagen. Over het loon zijn ze het vlug eens en ook dat Maartje een keer in de veertien dagen een hele zondag vrij is. Op aandringen van Dora mag ze de eerste tijd tot maandagochtend vroeg wegblijven.
Maartje zit erbij of het haar niet aangaat. Eén positief puntje voor haar is dat ze een mooi kamertje voor zichzelf krijgt en dat is een luxe die ze nooit gewend is geweest. Afgesproken wordt dat zij die maandag al meteen gaat beginnen.

Vader Teun heeft tranen in zijn ogen als hij op die maandagmorgen afscheid neemt van zijn dochtertje. 'Doe maar goed je best bij juffrouw Overduin, meissie,' zegt-ie nog en dan gaat hij gauw naar zijn werk. Ook tante Dora geeft haar goede raad mee en ze voelt zich wel een beetje schuldig als ze ziet dat Maartje maar moeilijk afscheid kan nemen van haar zusjes en broertjes. Ze doet er wat luchtig over en zegt dat ze de wereld niet uit gaat, maar ze krijgt toch een brok in haar keel als ze het meisje even later met haar bundeltje kleren en een tas met persoonlijke spulletjes op weg ziet gaan. Maartje blijft zwaaien tot ze door bosjes aan het zicht ontrokken wordt. En dan is ze aan zichzelf overgeleverd. Zo voelt ze zich ook.

Het is of ze definitief afscheid genomen heeft van haar kinderjaren. Nu gaat ze de grotemensenwereld in. Moe is dood en haar plaats is ingenomen door tante Dora. Voor pa en de kinderen is dat de beste oplossing. Maar tante Dora wil meer dan alleen maar het hulpvaardige familielid zijn. Ze is er zeker van dat zij op den duur de plaats van moe helemaal wil innemen. Maar nu kan dat nog niet. Moe is nog niet zo lang dood en dan moet tante Dora niet zo flemen met pa.

Enfin, ze is het huis uit en ze hoeft zich er dus niet meer dagelijks aan te ergeren. Dat is wel een voordeel, maar ze zal pa en de kinderen toch erg missen. Eén keer in de twee weken een zondag vrij is niet veel. Als ze daaraan denkt, overvalt de eenzaamheid haar weer. In de verte ziet ze de kerktoren van Adedorp. Ze kent er niemand behalve de vrouw van de slager. Een hartelijke vrouw is het niet, maar misschien valt het mee als ze haar wat beter leert kennen.

'Breng je spulletjes maar op je kamertje en kom dan maar naar beneden,' zegt Lien Overduin als Maartje via de winkel in het achterhuis van de slager komt.

'Zal ik eerst uitpakken of moet ik meteen naar beneden komen, juffrouw Overduin?' vraagt Maartje, maar dan fronst de slagersvrouw haar wenkbrauwen.

'Wat zeg je nou? Ik ben toch geen juffrouw.'

'O, moet ik tante Lien zeggen?' Een niet onlogische reactie, want de slagersvrouw is de vriendin van tante Dora en misschien wil zij dus ook wel 'tante' genoemd worden, maar haar bazin schudt haar hoofd.

'Jij moet geen 'juffrouw' en geen 'tante' zeggen, maar me aan-

spreken met 'mevrouw'. Ik ben getrouwd, sta niet voor de klas en je tante ben ik al helemaal niet. Wil je dat goed onthouden, Maartje?'
'Ja, mevrouw.' Maartje buigt beschaamd haar hoofd en voelt zich allesbehalve op haar gemak, want ze maakt al meteen een slechte beurt. Maar ze was het zich niet bewust. In haar dorp worden alleen de vrouwen van de dokter en de bovenmeester met 'mevrouw' aangesproken; alle andere getrouwde vrouwen gewoon met 'juffrouw'. Ook de vrouwen van de bakker en de slager.
'Pak straks maar uit. Nu eerst maar aan het werk.' Mevrouw Lien leidt haar rond door het huis en legt haar uit wat er zoal gedaan moet worden. Ze moet afwassen, stoffen, bedden opmaken en de kleren van de twee jongens opbergen als die ze laten slingeren. Dat laatste vindt Maartje vreemd, want thuis hamerde moe er altijd op dat je je eigen kleren moest opruimen en tante Dora doet dat ook. 'Jong geleerd is oud gedaan' noemt ze dat en dat is ook zo. De twee jongetjes, Han van zeven en Kees van negen, zullen wel verwend worden. En verwende jongetjes zijn meestal erg vervelend. Meestal, want thuis zeggen ze dat Henk Cromhout ook verwend wordt. 'Over het paard getild' noemde pa dat. Maar Henk is niet vervelend, integendeel. Als ze aan Henk denkt, krijgt ze weer het gevoel aan haar lot te zijn overgelaten. Melk halen op Madezicht is er niet meer bij, dus ziet ze hem ook niet meer. Ze wordt er niet vrolijker op. 'Wat kijk je nou bedenkelijk; is er iets?' De slagersvrouw kijkt Maartje met gefronste wenkbrauwen aan. Een dienstbode die haar neus optrekt voor bepaalde werkzaamheden, kan ze niet gebruiken.
'Nee hoor! Er is niets, mevrouw,' haast Maartje zich te antwoorden. De sombere gedachten die ze had over de verwende jongetjes en Henk weerspiegelden kennelijk op haar gezicht.

Gewend aan huishoudelijk werk heeft Maartje de eerste dagen geen moeite met de haar opgedragen taken, maar in de ogen van mevrouw Overduin is het niet gauw goed. Ze kruipt zelfs onder de ledikanten om dan vast te stellen dat er nog stof op de randjes ligt. En dat levert haar een standje op. 'Ik wil mijn huis stofvrij

houden en daar moet jij voor zorgen, Maartje,' zegt ze en die woorden worden opgevangen door Ada van Noort.
Voor het zware werk heeft mevrouw Overduin Ada in dienst genomen. Zij komt drie keer in de week een ochtend. Ada is midden dertig en zij heeft een dochter die dezelfde leeftijd heeft als Maartje. Als zij ziet dat Maartje een kleur krijgt door het standje van mevrouw, heeft ze met haar te doen. Ze moedert een beetje over het meisje, want een dag eerder heeft die verteld wat ze de laatste tijd allemaal meegemaakt heeft en dat ze haar vader en de kinderen nu al erg mist.
'Trek het je maar niet aan, hoor kindje,' zegt ze als Lien Overduin weg is en moederlijk slaat ze een arm om haar schouder. 'Als je het moeilijk hebt kom je maar bij mij uithuilen, hoor!' Ada drukt haar even tegen zich aan. Het zijn die woorden en gebaren die Maartje zó ontroeren dat de tranen al meteen over haar wangen rollen. Nijdig poetst ze ze weg, want als ze huilt krijgt ze altijd rode randen onder haar ogen en dat wil ze niet. Zoontje Kees van negen zal dan de eerste zijn die de draak ermee steekt, want ze heeft al wel gemerkt dat dat een pestkop is. Han van zeven is de tegenpool van zijn broertje. Dat is een lief knulletje en hij doet haar denken aan haar eigen broertje, die dezelfde leeftijd heeft als Han. Die lijkt ook meer op zijn vader, de slager Geert Overduin. Ze is nog maar enkele dagen in het gezinnetje van Lien en Geert Overduin, maar ze heeft de verschillen in karakter al aardig door. Die van de slager en van Han bevallen haar het best.

De drukke dagtaak die Maartje in haar dienstje heeft, zorgt ervoor dat de tijd erg snel gaat. Veel tijd om na te denken heeft ze niet, maar als ze het soms moeilijk heeft vindt ze troost bij Ada van Noort. En voordat ze het zich goed en wel realiseert, is er bijna een halfjaar verstreken sedert de dag waarop ze haar intrede deed in het slagersgezin.
Wennen moest ze in het begin erg aan haar bazin die lastig en precies is, maar nu weet ze niet beter en luistert maar met een half oor als mevrouw weer eens onredelijk is. En onredelijk is ze als zij, Maartje, zich beklaagt over de rommel die vooral Kees maakt en die zij dan moet opruimen. 'Daar ben je voor en van een grote

mond ben ik niet gediend,' blaft mevrouw dan. Ze laat het maar over zich heen komen en concentreert zich op kleine Han. Aan hem is nog wel eer te behalen. Ze leert hem hoe hij zelf zijn kleren kan ophangen en als hij dan eens iets laat slingeren doet ze daar niet moeilijk over. Nee, Han is een lief ventje. Toen zij veertien werd had hij een cadeautje voor haar. Het was een prulletje, maar hij had het van zijn eigen zakcentjes gekocht en daarom was ze er erg blij mee. Kees haalde grinnikend zijn schouders erover op. 'Wat heb je nou aan zo'n dom doosje,' schamperde hij. Toch merkte ze dat hij er een beetje mee zat dat hij zelf niet op het idee gekomen was iets voor haar te kopen.
En hij werd zelfs een beetje jaloers op zijn broertje toen zij die uitbundig prees voor zijn goede keuze, want het was precies wat zij nodig had om haar sieraden in op te bergen. Van tante Dora kreeg zij een ringetje voor haar verjaardag en van mevrouw Overduin een paar oorbelletjes en die stopte ze demonstratief in het doosje om Han en ook Kees te bewijzen dat het cadeautje van Han echt goed van pas kwam. Vanaf die dag, nu alweer een poos geleden, kan ze bij Han geen kwaad meer doen en ruimt hij ook zijn rommel op, maar met Kees wil het nog niet vlotten.

Maartje moet hard werken, maar het goede eten doet haar erg goed en van een spichtig kind is ze uitgegroeid tot een knap en aantrekkelijk meisje. Als ze boodschappen doet in het dorp wordt ze nagefloten door de jonge rietdekker en ook de slagersjongen, die ze elke dag ziet, maakt haar al complimentjes. Ze koestert zich in de belangstelling van de jongelui, maar een echte afleiding voor haar vormen toch de vrije zondagen waarop ze naar huis mag. Ze ziet haar vader en de kinderen en 's middags in het dorpshuis ontmoet ze haar vriendinnen van school. Ook Henk Cromhout is er vaak en als hij haar in de gaten heeft knoopt hij meteen een praatje aan en zegt naar huis te willen gaan om zijn paard te halen. 'Dan kunnen we weer eens een fijn ritje langs het meer maken, Maartje,' fluistert hij haar in het oor, maar Maartje schudt haar hoofd. Ze ziet zijn bewonderende blikken en die doen haar goed. Hijzelf is door het zware boerenwerk ook flink uit de kluiten gewassen en ze zou nog best eens dicht tegen hem aan op

de brede paardenrug willen zitten, maar ze durft het toch niet meer aan. Haar vriendinnen in de steek laten om met Henk een eindje te gaan lopen, zoals hij voorstelt, durft ze ook niet aan. De ene helft van de meiden zou haar uitlachen en de andere helft zou jaloers zijn. Nee, ze lacht maar eens lief tegen hem, maar dat is voorlopig dan ook alles.
Op een van die zondagen vraagt vader Teun haar niet naar het dorpshuis te gaan, maar met hem een eindje langs het meer te gaan wandelen. Het is nog vroeg in het voorjaar, maar het is niet koud, er is bijna geen wind en de zon komt aarzelend achter de wolken tevoorschijn. Omdat Maartje vermoedt dat haar vader er een speciale bedoeling mee heeft haar die wandeling voor te stellen, gaat ze er meteen mee akkoord. Hij ziet er ook wat gespannen uit en dat versterkt haar vermoeden dat hij iets met haar wil bespreken en zelfs het onderwerp kan ze wel raden.
Bij het meer aangekomen gaan ze op een omgevallen boomstam zitten en kijken zwijgend over de gladde waterspiegel van het meer. Er komt al een groene waas over de bomen en de watervogels zijn druk in de weer om het nageslacht zeker te stellen. De knoppen aan bomen en heesters zullen algauw openbarsten en fris blad, dat, opgerold in de knop, de winterkou heeft doorstaan, zal zich in al zijn schoonheid ontvouwen. Maar het zijn niet alleen het meer en de natuur die indruk maken, ook het imposante vergezicht. Het spitse torentje van de kerk van Adedorp is zichtbaar. Morgen in alle vroegte zal zij die kerk weer passeren op weg naar haar dienst, maar nu is ze alleen met haar vader en die heeft kennelijk moeite met het onderwerp dat hij met haar moet bespreken.
'Je hebt zeker iets met me te bespreken, pa,' veronderstelt ze dan ook om het zwijgen te verbreken. Aan de blikken van verstandhouding die haar vader en tante Dora de laatste tijd met elkaar wisselen, heeft ze gezien dat die twee steeds dichter naar elkaar toe groeien. Het kan ook bijna niet anders, want ze zijn dagelijks bij elkaar en tante Dora zorgt niet alleen goed voor pa, maar ook voor de kinderen. Eerst dacht ze dat de genegenheid alleen van de kant van tante Dora kwam, maar nu weet ze dat die wederzijds is. Misschien is er ook van de kant van vader sprake van meer dan genegenheid. Moeder zal hij nog lang niet vergeten zijn, maar een

vrouw die inmiddels een goede moeder voor zijn kinderen geworden is en bovendien erg op hem gesteld is, verdient het geluk dat hij haar geven kan.
'Ja, ik heb wat met je te bespreken, meissie, maar het is een erg moeilijk onderwerp.' Teun Bieshof is zich er pijnlijk van bewust dat Maartje het veld moest ruimen toen Dora zich bespied voelde. Zijn dochtertje beklaagde zich over het gefleem van haar. Nu moet hij haar bekennen dat hij voor dat gefleem gevoelig was en voor de liefde van Dora bezweken is.
'Ik begrijp wel waarover je me wilt spreken, hoor pa,' zegt Maartje en van die uitspraak kijkt Teun nogal op.
'Wat denk jij dan?'
'Dat jij en tante Dora erg op elkaar gesteld zijn en samen verder willen.'
'Lopen wij tegenwoordig zó met onze gevoelens voor elkaar te koop, Maartje?' Teun kijkt zijn dochtertje met een wat schuldbewuste blik aan, maar Maartje legt haar hand op zijn arm.
'Je kijkt me aan alsof je je betrapt voelt, pa, maar zo zie ik het niet, hoor! Je weet dat ik kort na het overlijden van moe moeite had met de houding van tante Dora, maar nu denk ik daar anders over. Als jullie het goed met elkaar kunnen vinden en uiteindelijk met elkaar trouwen, dan vind ik dat heel fijn.'
'Meen je dat, lieve schat?' Hij pakt de hand die op zijn arm ligt, brengt die naar zijn mond en geeft er een innig kusje op. 'Je weet niet half hoe blij ik ben met jouw uitspraak, meissie.'
'Laten we dan maar naar huis gaan en het ook de anderen vertellen, of weten die het al?'
'Nee natuurlijk niet. Jou wilde ik er eerst over spreken, want jij bent de oudste.'
'Weet tante Dora dat je er vandaag met mij over zou praten?'
'Wat dacht jij dan! Ze zit thuis in spanning op onze terugkomst te wachten.' Dat vader Teun er niet ver naast zit blijkt wel als ze thuis zijn. Tante Dora ziet er gespannen uit, maar dan weet Maartje de juiste manier te vinden haar van die spanning af te helpen. Ze slaat haar armen om de hals van haar tante, kust haar op beide wangen en fluistert in haar oor: 'Ik vind het fijn dat jij en pa het eens geworden zijn en binnenkort gaan trouwen, tante.'

'Echt waar?' vraagt ze verbaasd en als Maartje knikt gaat ze op een stoel aan de tafel zitten en laat haar hoofd op haar armen zakken. Haar schouders schokken. Even weet Maartje niet wat ze moet doen, maar dan gaat ze naast haar zitten en slaat een arm om haar heen.
'Ik ben echt blij, hoor!' zegt ze zacht en dan pas richt tante Dora zich op en kijkt haar nichtje met betraande ogen aan, maar het zijn tranen van vreugde en dat blijkt als er een blijde lach op haar gezicht komt.
'Dankjewel, meissie.' En tot Teun: 'We hadden het beiden mis, jongen.' In dat ene zinnetje ligt het grote dilemma besloten waar zij en Teun mee worstelden. Ze weet hoe moeilijk vooral Teun het ermee had. Hoe zullen de kinderen en met name Maartje reageren als we het vertellen? vroegen ze zich af. Nu Maartje zo positief reageert ligt de weg naar hun geluk al bijna open. De andere kinderen zullen zeker het voorbeeld van hun oudste zus volgen. Ja, nu ziet de toekomst er rooskleurig uit. Zij houdt al vele jaren van Teun en bij hem zal de liefde voor haar zeker groeien. Trees is hij nog lang niet vergeten, maar zelf zegt hij steeds dat hij liever vooruit dan achterom kijkt. De hindernis die Maartje vormde is geslecht en daar is ze zielsgelukkig om.

Het is ruim na afloop van de rouwperiode als het huwelijk tussen Teun Bieshof en Dora Dussel wordt aangekondigd. Daarna is het nog maar een kwestie van weken voordat het zover is. Maartje is uiteraard de hele dag vrij en zij is niet de enige uit Adedorp die naar de trouwerij komt. Ook haar mevrouw is, als vriendin van tante Dora, van de partij.
Het is een mooie dag in augustus als de kerkklokken hun vrolijke klanken over het kleine dorp aan de Made uitstrooien. De dienst wordt geleid door pastoor Huibrechts. In zijn toespraak richt hij zich vooral tot de bruid en prijst haar. 'Zelf heb ik meegemaakt hoe diep het gezin van Teun Bieshof in de misère zat na het overlijden van moeder,' zegt hij. 'Een man alleen met zes kinderen, waarvan de jongste slechts enkele dagen oud was, was een onhoudbare situatie. U trok zich het lot van uw zwager aan en nam de zorg voor hem en voor zijn kinderen van uw overleden

zuster over. Een daad van medemenselijkheid waaraan velen een voorbeeld kunnen nemen. Maar u en uw zwager gingen nog een stap verder en besloten elkanders levenspartner te worden. Het is mij een grote eer juist u beiden vandaag in de echt te mogen verenigen en Gods zegen ervoor te vragen.'
De belangstellenden in de kerk knikken instemmend. Ze zijn het roerend eens met de pastoor en hebben ook bewondering en waardering voor Dora Dussel die haar werk als naaister en baker verruilde voor het leven van huisvrouw en echtgenote van een weduwnaar met zes kinderen.
Maartje zit voor in de kerk op de ereplaatsen die speciaal voor de familie zijn ingeruimd. Ze is ontroerd door de waarderende woorden van meneer pastoor en ze is het ook met hem eens. Meer dan dat. Voor de kinderen heeft tante Dora nieuwe kleren genaaid en ze zien eruit om door een ringetje te halen. Dat geldt trouwens ook voor haarzelf, want het jurkje dat zij aan heeft, is ook al door tante Dora genaaid. Hoewel ze het vreemd vindt het huwelijk van haar eigen vader mee te maken, heeft ze er vrede mee en denkt ze heel mild over haar tante, die nu haar stiefmoeder is. Van pa heeft zij begrepen dat ze erg lief is voor de kleintjes en dat die in haar een echte moeder gevonden hebben.

'Hoe was de trouwerij, Maartje?' vraagt werkvrouw Ada van Noort de volgende dag. Ze leeft erg mee met het jonge meisje en informeert steeds belangstellend naar de dingen die ze meemaakt. Toen ze net in haar dienstje begonnen was, moest ze haar vaak troosten, want verdriet knaagde aan haar. De laatste maanden is dat niet meer nodig. Integendeel, Maartje is van een wat triest kind uitgegroeid tot een vrolijk en mooi meisje. Ze weet ook dat ze nu achter het huwelijk van haar vader met tante Dora staat en nu merkt ze dat er zelfs veel waardering is voor haar stiefmoeder, want ze vertelt enthousiast over de trouwerij.
'Meneer pastoor beschouwde het als een eer tante Dora en mijn vader in de echt te verenigen,' zegt ze. 'Hij noemde het een daad van medemenselijkheid dat zij de zorg voor mijn vader met zijn zes kinderen van haar overleden zuster heeft overgenomen en stelde haar zelfs ten voorbeeld aan de mensen.'

'Dat is niet mis, Maartje. Als ze nou ook je vader nog gelukkig maakt dan is iedereen tevreden, hè?'
'Dat is waar. Pa zei dat ze erg lief is voor de kinderen en dat die in haar een echte moeder gevonden hebben.'
'Zo zie je maar dat het allemaal op z'n pootjes terechtkomt, als je maar een beetje geduld hebt.'
'En dat had ik in het begin niet. Achteraf heb ik er wel wat spijt van dat ik zo lelijk tegen haar gedaan heb.'
'Het is goed dat je er zo over denkt, Maartje, maar jouw houding was echt wel verklaarbaar, hoor! Je vader en moeder hielden van elkaar en toen je moeder dood was, kwam je tante daar plotseling tussen. Jij kon dat niet verdragen en dat is heel normaal. Maak jezelf geen verwijten en wees lief voor je stiefmoeder. Na jouw aanvankelijke weerstand zal ze dat dubbel waarderen.'
'Dat doet ze nu al.'
'Kijk aan; jou hoef ik niks meer te leren, maar genoeg gepraat, want er is nog werk te doen. Nog één ding: kom zondagmiddag even bij mij langs, dan kunnen we nog wat verder praten.'
'Ja, dat is goed.' Op de zondagen waarop ze niet naar huis gaat, is ze 's middags vrij en dan kan ze doen wat ze verkiest. Soms gaat ze naar het huis van Ada van Noort en met haar dochter Jaantje kan ze het inmiddels goed vinden. Jaantje is even oud als zijzelf.
Zoals met Ada afgesproken zien Maartje en Jaantje elkaar ook die zondagmiddag weer. Het regent, dus proberen zij zich binnen te vermaken. Spelletjes doen is de favoriete bezigheid van de huisgenoten en Maartje reageert enthousiast als ze ziet dat ze ook een dambord hebben.
'Dat hebben we thuis ook,' lacht ze blij. 'Wie durft er een potje met me te spelen?' Ze schept een beetje op, want thuis heeft ze vaak potjes met haar vader gedamd en zodoende heeft ze er enige bedrevenheid in.
'Ik!' roept Arie van elf.
'Goed.' Maartje houdt in haar ene hand een witte en in haar andere hand een zwarte steen. 'Welke hand kies je?'
'Je linkerhand.'
'Dan mag jij beginnen, want je kiest de witte steen.' Ze zetten dan

de stenen op het bord en Arie begint. Hij plaatst zijn stenen zo dat Maartje niet kan slaan. Dan lacht-ie trots als hij kans ziet een steen van Maartje te slaan, maar hij heeft de list van zijn partner niet door. Terwijl hij er een slaat, slaat zij er twee terug. 'Je moet wel opletten, Arie,' glimlacht zij en dan heeft Arie er al een beetje de pest in. Hij kan niet goed tegen zijn verlies en probeert vervolgens Maartje te slim af te zijn, maar weer krijgt hij de kous op z'n kop. En zo gaat het nog even door tot Arie moet erkennen dat hij verloren heeft. Met een verongelijkt gezicht loopt-ie naar buiten en dan wordt het dambord opgeborgen.
'Kom nou nog maar even hier zitten, Maartje,' vindt Jaantje. 'Ik wil je nog iets vertellen.'
'Een geheim?' Maartje schuift giechelend bij haar aan tafel en vader Joop, die een beetje zit te dutten in zijn rookstoel, moet glimlachen om die twee, want hij weet dat meiden van die leeftijd tegen elkaar opbieden als het om avontuurtjes gaat. Hij spitst zijn oren, want als er jongens in het spel zijn, dan wil hij wel weten hoe of wat. In feite moet hij eraan wennen dat zijn dochtertje geen kind meer is. Dat ziet hij vooral aan Maartje. Die is even oud als Jaantje, maar het is al een knappe meid waar jongens zeker verliefd op kunnen worden. Maar hij is gerustgesteld als hij hoort dat ze het over de naailes hebben.
'Nee, geen geheim, joh!' reageert Jaantje. 'Ik zit tegenwoordig op woensdagavond op naailes en dat is hartstikke leuk. Waarom kom je er ook niet op?'
'Dat zou ik best willen. Mijn stiefmoeder is naaister en ik weet zeker dat zij me zal willen helpen als dat nodig is. Als ik zondag thuis ben zal ik het met haar bespreken.' En dat doet ze de volgende zondag ook.
'Daar sta ik helemaal achter,' reageert tante Dora op de vraag van Maartje wat zij ervan vindt als ze op naailes zou gaan. 'Je eigen kleren naaien spaart je niet alleen veel geld uit, maar als je de tijd vindt ook voor anderen te naaien kun je er een aardig centje mee verdienen. Ik spreek uit ervaring, meissie.'
'Dat weet ik, tante, dus daarom begin ik er ook over. Alleen weet ik niet of ik op woensdagavond vrij krijg van mevrouw Overduin.'

'Jij krijgt vrij, daar zorg ik voor.'
'Hoe dan?'
'Ik geef je een briefje mee.' En tante Dora voegt de daad bij het woord. Ze schrijft dat ze achter de wens van haar stiefdochter staat en vraagt haar vriendin Maartje op woensdagavond in de gelegenheid te stellen met haar vriendinnetje mee naar naailes te gaan. 'Geef dat maar aan je bazin en zeg er maar bij dat ik voor het lesgeld zal zorgen en ook de eventuele kosten voor stoffen voor mijn rekening zal nemen.'
'Dat is lief, tante,' zegt Maartje en ze bedankt haar met twee dikke zoenen op haar wangen.
'Het zal wel schikken, hoor!' Het is in het dorp de gebruikelijke reactie van mensen die een complimentje krijgen.

'Een briefje van je stiefmoeder?' Lien Overduin maakt de envelop die Maartje haar geeft open en is benieuwd wat haar vriendin haar te melden heeft.
'O, nog meer vrije tijd,' moppert ze. 'Het is tegenwoordig net de omgekeerde wereld: de dienstbode neemt vrij en mevrouw draait op voor het werk.'
Overdrijven is ook een vak, zou Maartje willen zeggen, maar ze houdt zich in. Toch is ze onaangenaam getroffen door de negatieve reactie van mevrouw. Ze heeft liever te maken met tante Dora, die meteen positief stond tegenover haar verzoek. Ze betaalt ook nog het lesgeld en de kosten voor stoffen die ze nodig zal hebben.

'Maartje gaat op naailes,' vertelt Dora als ze die zondagavond alleen is met haar man.
'Dat is een goed bericht, Dora,' reageert Teun. 'Kan ze daarvoor in Adedorp terecht?'
'Ze gaat op woensdagavond met Jaantje van Noort, haar vriendinnetje, mee. Die zit er al op. Ik heb Maartje een briefje meegegeven voor Lien met het verzoek haar op woensdagavond vrijaf te geven.'
'Maar dat kost natuurlijk geld,' meent Teun en Dora knikt.
'Ik heb haar beloofd dat ik het lesgeld zal betalen en dat, als ze stoffen voor de les nodig heeft, ik daar ook voor zal zorgen.'

'Dat is lief van je, Dora.'
'Dat zei Maartje ook en om me te bedanken gaf ze me twee dikke pakkerds.'
'Dat doet me deugd. Hier, je krijgt er van mij ook twee.' Het gaat echt van harte, want lang heeft hij met een schuldgevoel tegenover zijn oudste rondgelopen. Die is helemaal bijgedraaid en niet ten onrechte, want Dora is een lieve vrouw voor hem en ook een goede moeder voor zijn kinderen. Truusje begint haar eerste woordjes te brabbelen en toen ze 'mama' riep, kreeg Dora tranen in haar ogen. Hij herkent in haar hoe langer hoe meer lieve trekjes van zijn overleden vrouw en daaraan kan hij tot zijn vreugde merken dat het zusters zijn.

Intussen is Maartje aan haar eerste lessen begonnen en het bevalt haar zó goed dat ze iedere week weer naar de woensdagavond uitkijkt. Ze haalt dan Jaantje thuis op en als de les afgelopen is, gaat ze nog even met haar naar huis. Ze vindt het er gezelliger dan in haar betrekking.
'Je moet vaker vrij vragen,' vindt Jaantje. 'Dat krijg ik ook, maar toch ga ik van betrekking veranderen. In mijn nieuwe betrekking krijg ik een kwartje in de week meer en dat vind ik best de moeite waard.'
'Jij verdient nu al meer dan ik,' constateert Maartje. 'Is de betrekking die jij verlaat, niet iets voor mij?'
'Niet doen, Maartje,' raadt Ada haar. 'Je weet wel wat je hebt, maar niet wat je krijgt. Vraag maar wat vaker vrij en kom dan hierheen. Hier heb je het gezellig.'
'Dat zal ik doen,' besluit Maartje en nog diezelfde avond voegt ze de daad bij het woord.
'Ik wil 's avonds graag nog wat meer vrij om naar mijn vriendin te gaan, mevrouw,' vat ze meteen de koe bij de horens, maar mevrouw Overduin schudt haar hoofd.
'Luister, Maartje. Je hebt één keer in de twee weken een hele zondag vrij en je hoeft dan pas op maandagmorgen terug te komen. Op de andere zondagen heb je 's middags vrij en nu ook al iedere woensdagavond. Me dunkt dat dat wel voldoende is.'
'Maar ik kan bij een andere mevrouw terecht waar ik wel meer

vrij krijg en ik kan er nog een kwartje meer verdienen ook,' reageert Maartje. Ze is er zelf verbaasd over dat ze zo'n kordate reactie geeft.
'Een andere mevrouw?' schrikt Lien. De reactie van Maartje treft haar als een mokerslag. Dat had ze nou helemaal niet verwacht. Ze moet er niet aan denken dat Maartje weg zou gaan. Ze zijn allemaal aan haar gehecht en ze is erg goed voor haar werk.
'Ja, de mevrouw waar mijn vriendin nu werkt. Zij verdient nu al meer dan ik en bij haar nieuwe mevrouw gaat ze nog meer verdienen.'
'Nou, dat kwartje kun je er bij mij ook wel bij krijgen,' kiest Lien Overduin eieren voor haar geld.
'En de extra vrije tijd?' Maartje wil het ijzer smeden nu het heet is. Ze ontdekt dat ze goed voor zichzelf kan opkomen en geen briefjes van tante Dora meer nodig heeft.
'Och, als je je werk klaar hebt mag je er voor mij 's avonds wel een tijdje tussenuit, hoor!' De slagersvrouw is zó geschrokken van het dreigement van haar dienstbode dat ze hoe langer hoe toeschietelijker wordt.
'Dan zal ik nog maar wat blijven,' concludeert Maartje. Ze is blij dat ze haar zin gekregen heeft en ze is ook wel een beetje trots op zichzelf, maar als ze in bed ligt en er nog eens goed over nadenkt beseft ze dat ze toch wel hoog spel gespeeld heeft. Als mevrouw Overduin bijvoorbeeld gezegd had dat ze dan maar naar die mevrouw moest gaan, dan stonden de zaken er anders voor. Ze weet helemaal niet of die mevrouw haar wel had willen hebben. Enfin, niet over piekeren. Ze heeft de buit binnen en daar kan ze heerlijk op slapen.

HOOFDSTUK 3

Achter het huis van slagerij Overduin in Adedorp ligt een flinke lap grond waarvan een deel is ingericht als moestuin. Daarachter ligt een kleine boomgaard en ernaast een grasveld dat als bleek wordt gebruikt.
Het is op een prachtige dag in mei dat Maartje met een volle mand wasgoed naar buiten komt. Tussen twee palen is een lijn gespannen en daaraan wordt door haar een deel van het wasgoed gehangen. Een ander deel, bestaande uit lakens en slopen, wordt op de bleek uitgespreid. Ze veegt het zweet van haar voorhoofd, want al meer dan een uur is ze, samen met Ada van Noort, met de was bezig. De frisse buitenlucht doet haar goed. Het ruikt buiten ook lekker en dat komt vooral door de bloeiende boomgaard. Ze gaat even op een oude regenput zitten en laat de schoonheid van de bloeiende natuur op zich inwerken.
Het is alweer vier jaar geleden dat ze dienstbode werd bij mevrouw Overduin. In het begin voelde ze zich erg eenzaam en mevrouw, die nota bene een vriendin is van tante Dora, was niet aardig. Ze was bovendien erg precies en meer dan eens kreeg ze een standje dat ze niet zorgvuldig genoeg stof afgenomen had. Gelukkig was daar toen al Ada van Noort bij wie ze kon uithuilen als ze zich ongelukkig voelde. Later ging ze graag in op haar uitnodiging om op zondagmiddag bij haar thuis te komen. Daar ontmoette ze dochter Jaantje en sedertdien zijn zij hartsvriendinnen. Van haar leerde ze ook dat ze zich niet alles door mevrouw moest laten gezeggen en, als het nodig was, van zich af te bijten. Dat laatste deed ze niet echt, maar ze kwam wel meer voor zichzelf op en dat leverde haar meer vrije tijd en een hogere weekhuur op.
'Maartje! O, zit je daar. Zit je te bedenken hoe je kindskinderen aan de kost moeten komen?' vraagt Ada lachend. Ze vindt dat haar collegaatje er nogal lang over doet om de was op te hangen en op de bleek te leggen.
'Nee, zover gaan mijn gedachten nog niet, maar ik zit even uit te puffen en te genieten van het mooie weer en het fraaie uitzicht op de bloeiende boomgaard.'
'Ja, mooi hè? Maar we zijn nog niet klaar met de was, meissie, dus

gaan we er nog even tegenaan. Straks is er thee en dan kunnen we wat uitblazen.'
'Ik ga mee.' Met Ada kan Maartje het nog steeds goed vinden en ze komt ook nog vaak bij haar thuis. Met mooi weer gaat zij dan samen met Jaantje een eindje fietsen. Joop van Noort, de man van Ada, is erg handig. Voor dochter Jaantje heeft hij al eerder een fiets gekocht en kortgeleden heeft hij een oude damesfiets op de kop getikt en die helemaal opgeknapt. Voor Maartje was het een complete verrassing toen zij dat opgeknapte karretje voor haar zeventiende verjaardag kreeg. Dat het idee voor dat cadeau van Jaantje afkomstig was, hoorde ze later. 'Eigenbelang,' reageerde Jaantje. 'Nu wij beiden een fiets hebben, kunnen we met mooi weer fijne ritjes maken.' En dat deden ze vervolgens ook. Op een zondag is Jaantje met Maartje mee naar haar huis gereden en heeft ze kennisgemaakt met vader Teun, tante Dora en de kinderen. Maar naar haar familie gaat Maartje in de meeste gevallen alleen.
Het mooie weer houdt aan en die zondag fietst ze weer eens naar huis. Vroeger ging ze 's middags meestal naar het dorpshuis, want daar ontmoette ze haar schoolvriendinnetjes. De laatste tijd doet ze dat niet meer zo vaak, want ze vervreemdt een beetje van de meisjes nu ze Jaantje al enkele jaren als vaste vriendin heeft. Maar deze zondag laat ze zich door haar zusje Annie overhalen mee naar het dorpshuis te gaan. Het is er gezellig en haar vroegere vriendinnetjes klitten om haar heen, want ze willen wel graag weten hoe zij het in Adedorp maakt. Omgekeerd hoort Maartje ook de verhalen van de meisjes aan en dan komt ze tot de conclusie dat zij het bij slagerij Overduin nog zo slecht niet getroffen heeft.
Tot haar verrassing komt ook Henk Cromhout plotseling binnen. Hij begroet iedereen joviaal, maar als hij haar in de gaten krijgt, blijft hij met een verbaasde blik staan.
'Maartje!' zegt hij met een lichte buiging. 'Waar hebben wij de eer van dit hoge bezoek aan te danken?' De meiden moeten lachen, want Henk heeft altijd wel iets bijzonders. Het is een charmeur en hij ziet er goed uit. Voldoende redenen om de harten van veel meisjes sneller te doen slaan. Maar vandaag heeft Henk alleen oog voor Maartje. Als hij zijn kans schoon ziet, wenkt hij haar. Zachtjes, zodat de anderen het niet horen, zegt hij: 'Wat ben jij mooi gewor-

den, zeg; we moeten maar gauw eens een afspraakje maken.'
'Dat moet dan nog even wachten. Straks fiets ik terug naar Adedorp, want daar heb ìk nog een afspraakje,' reageert ze glimlachend. Ze krijgt wel vlinders in haar buik als ze weer eens oog in oog staat met haar jeugdliefde.
'Heb je verkering?' schrikt Henk.
'Nee joh, ik heb een afspraakje met mijn vriendin.'
'O, gelukkig.' Hij kijkt haar met zo'n verliefde blik aan dat ze er een kleur van krijgt. 'Als je bloost ben je nog knapper,' fluistert-ie, maar dan komen er protesten vanuit de zaal.
'Wat sta jij daar dan te smoezen,' willen sommige meisjes weten, maar Henk schudt zijn hoofd ten teken dat ze daar niks mee te maken hebben. En dan houdt hij het voor gezien en verlaat het dorpshuis. De meisjes, en vooral ook Maartje, vinden het vreemd en ook jammer dat hij zo plotseling verdwenen is, maar de echte reden kennen zij niet. Die reden is dat Henk er niets voor voelt een afspraakje met de mooie Maartje op de lange baan te schuiven. Hij spoedt zich naar huis om zijn fiets te halen en rijdt daarna een eindje in de richting van Adedorp. Als het klopt wat Maartje zegt, dan zal zij straks ook die weg nemen en dan fietst hij gewoon een eindje met haar mee. En dan...?

Intussen bemoeit Maartje zich weer met de meisjes, maar die willen toch wel weten wat zij allemaal met Henk te bespreken had. 'Hebben jullie soms ruzie gehad dat hij zo schielijk vertrokken is?' vraagt er een, maar Maartje schudt haar hoofd.
'Welnee joh, Henk wilde gewoon weten hoe het met me gaat en ik vroeg hem hetzelfde.' Ze verzint maar wat, want ze kan kwalijk zeggen dat Henk haar overlaadde met complimenten. Ja, dat deedie en ze is er nog danig van onder de indruk. Evenals de rest van haar klasgenoten heeft ze ook Henk al een hele poos niet gezien en van een opgeschoten blaag is hij een jongeman geworden. En wat voor een! Hij heeft een snorretje laten staan en dat maakt zijn gezicht nog knapper. En dat vindt hij ook van haar. 'Als je bloost ben je nog knapper' zei hij. Maar als hij een afspraakje wil maken, waarom is hij dan ineens verdwenen? Ze begrijpt er niets van en ze stoort zich ook een beetje aan de meiden die zich jaloers aanstellen.

Of zij er iets aan kan doen dat Henk veel aandacht aan haar besteedde. Ze wil weg.
'Ik ga naar huis, Annie,' zegt ze, 'ga je mee?'
'Ga jij maar alvast, ik kom zo,' reageert Annie, want zij is nog bezig met een spelletje.
'Maar ik ga meteen door naar Adedorp, hoor!' roept Maartje nog en dan steekt Annie haar hand maar op.

'Je hebt toch nog wel tijd voor een kopje thee,' meent tante Dora als Maartje, eenmaal thuis, meteen naar Adedorp wil vertrekken. 'Of heb je een afspraak?' Het laatste heeft ze met een glimlach gevraagd, want voor een mooi meisje als Maartje zullen de jongens wel in de rij staan, veronderstelt zij.
'Ja, ik heb een afspraak met Jaantje, maar voor een kopje thee heb ik nog wel tijd, hoor!' Aan het gezicht van tante Dora ziet ze dat die kennelijk aan een heel ander afspraakje zit te denken. Nee, jongens spelen in haar leven nog geen rol. Of nu wel? Henk had het over een afspraakje en als ze daaraan denkt krijgt ze weer vlinders in haar buik. Ze moet volgende week maar weer eens naar het dorpshuis gaan en als Henk daar is dan kunnen ze... Ja, wat eigenlijk? Als hij haar vraagt weer bij hem achterop zijn paard te gaan zitten, dan doet ze dat niet. Een eindje gaan lopen? Misschien!
Als ze haar thee op heeft neemt ze afscheid van tante Dora, vader en de kinderen en vooral Truusje van vier knuffelt ze nog even. Dan stapt ze op haar fiets en denkt binnen het halfuur in Adedorp te zijn, maar dat pakt anders uit. Als ze een eindje op weg is, duikt van achter een bosje Henk plotseling op. 'Mag ik een eindje met je mee fietsen, Maartje?' vraagt-ie en natuurlijk vindt Maartje dat goed. Ze is blij verrast de jongen, die het laatste uur geen minuut uit haar gedachten geweest is, nu weer in levende lijve voor zich te zien.
'Hoe kom jij hier dan zo ineens?' vraagt ze verbaasd en dan moet Henk lachen.
'Ik zei nog geen uur geleden dat ik graag een afspraakje met je wilde maken en zo'n mooi meisje als jij bent, laat ik liever niet wachten.'
'Jij bent ook nog niks veranderd,' lacht ze, maar daar is Henk

het niet mee eens en hij zegt het ook.
'De laatste keer dat we heel dicht tegen elkaar aan zaten was op mijn paard en toen had ik nog geen snor en was jij een spichtig, maar wel erg lief meisje. En nu ben jij een schoonheid en ik? Wat vind je dan van mij?'
'Weet je wat mijn vader altijd zegt?'
'Nou?'
'Alles wat een man meer heeft dan een aap is meegenomen.'
'Maar ik ben toch niet harig!'
'Dat moet je niet te hard zeggen; kijk maar eens onder je neus.'
'Jij staat me voor de gek te houden,' lacht Henk. 'Kom, ik fiets een eindje met je mee.'
'Als je maar niet te hard gaat, want dan kan ik je niet bijhouden.'
'Dan wachten we maar even tot je helemaal uitgerust bent.' Hij pakt haar fiets en zet hem achter het dichte bosje waar ook zijn eigen fiets staat. Vervolgens trekt hij zijn jasje uit en spreidt het uit over het gras. 'Hier zitten we rustig en kunnen we even praten, Maartje,' zegt-ie zacht.
'Maar ik heb afgesproken met mijn vriendin,' protesteert ze nog zwakjes. Ze wil niet te gretig op het verzoek van Henk ingaan, maar even helemaal alleen met hem zijn, lokt haar wel erg aan.
'Laat die vriendin nog maar even wachten. Ik heb je zo'n poos niet gezien dat ik wel benieuwd ben hoe je het maakt.' Henk kijkt haar daarbij met zo'n verliefde blik aan dat ze niet kan en eigenlijk ook niet wil weigeren.
'Goed, laten we dan maar even praten.' Ze gaat op het uitgespreide jasje zitten en Henk ploft naast haar neer. En dan weten ze even niet goed hoe ze hun houding moeten bepalen. Toen ze kinderen waren konden ze onbevangen met elkaar omgaan, maar ze zijn geen kinderen meer en dat merken ze beiden als ze op het jasje dicht tegen elkaar aan zitten.
'Je mag mij dan een aap vinden, jou vind ik net een engeltje, Maartje,' zegt Henk en hij slaat een arm om haar heen en drukt haar zacht tegen zich aan.
'Ik vind je niet echt op een aap lijken, hoor!' fluistert zij nu een beetje verlegen.
'Dat klinkt al wat beter.' Henk schuift nog wat dichter naar haar toe

en drukt haar nog wat vaster tegen zich aan. 'Zeg dan eens iets liefs of zal ik beginnen?'
'Je maakt me verlegen.'
'Jij bent het liefste en mooiste meisje dat ik ken, Maartje.' Hij kijkt haar diep in haar ogen en zijn mond is dicht bij de hare; zij kijkt hem ook met een zachte blik aan. En dan is er niet veel voor nodig om die verliefde blikken te bezegelen met een kusje. Eerst een bescheiden kusje, maar dan neemt Henk haar vol in zijn armen en sluiten hun monden zich op elkaar in een lange en innige kus.
'Dat zeg je zeker tegen alle meisjes,' veronderstelt ze als Henk weer doorgaat met zijn liefdesbetuigingen. Ze geniet van de innige kussen, maar als ze terugdenkt aan de reacties van de meisjes in het dorpshuis, dan vertrouwt ze de jongen die haar met een verliefde blik aankijkt niet helemaal.
'Ik kus ook weleens met een ander meisje, Maartje, maar met jou is het echt anders. Jij was al vanaf de schoolbanken mijn favoriet en dat is nog zo. Toen was je nog maar een spillebeentje, maar nu ben je echt erg mooi, maar dat zul je zelf ook wel weten en de jongens in Adedorp ook. Je zult daar toch ook weleens gekust zijn.'
'Nee, nog nooit.'
'Meen je dat? Ben ik de eerste?' Henk springt op en trekt haar overeind. Dan pakt hij haar gezichtje in zijn beide handen en kust haar nog eens innig op haar mooie rode mondje. 'Ik zal altijd van je houden, schatje,' zegt-ie zacht. Maar dan vindt Maartje het tijd om op te stappen. Ze heeft nog steeds de vlinders in haar buik, maar wat Henk zegt kan niet. Hij kan in ieder geval nooit met haar trouwen, want een rijke boerenzoon trouwt niet met de dochter van een knecht. Stel je voor dat zij zou trouwen met Henk Cromhout, de toekomstige boer van het machtige Madezicht. Onmogelijk! Maar zijn kussen zijn heerlijk en zij drukt dus ten afscheid nog gauw een kusje op zijn mond en Henk fietst dan nog een eindje met haar mee. Ze beloven elkaar weer te zullen ontmoeten in het dorpshuis. 'En ons fijne plekje moeten we niet vergeten, lieve Maartje,' roept hij nog als hij na een poosje terugkeert naar het dorp.

Die avond in bed kan Maartje de slaap niet meteen vatten. Ze moet terugdenken aan haar ontmoeting met Henk Cromhout. Het leek wel of de tijd stilgestaan had, want weer liet Henk alle meisjes staan en bemoeide hij zich alleen met haar. Dat was op school ook zo en ook toen waren de meiden jaloers. Maar hebben ze daar redenen voor? Henk kust ook met andere meisjes; daar maakt hij geen geheim van. Toch gelooft ze hem wel als hij zegt dat hij haar het liefste vindt. Maar wat schiet zij ermee op? Voor hen beiden is geen toekomst weggelegd. Och, wat ligt ze toch te piekeren. Ze is pas zeventien en ze moet dingen doen die ze leuk vindt. Henk veronderstelde al dat zij met andere jongens kust en hij geloofde haar nauwelijks toen zij vertelde dat hij de eerste is. En toch is het zo. Henk is de eerste jongen met wie ze zo innig gekust heeft en ze hebben afgesproken elkaar weer te ontmoeten en als het aan Henk ligt, op hetzelfde plekje afscheid te nemen.

Die zomer gaat Maartje wat vaker naar huis en dan ontmoet ze ook Henk weer. Als het regent is hij teleurgesteld en moet zij beloven vooral te komen als het mooi weer is, want dan kunnen ze weer kussen en knuffelen op hun vertrouwde plekje.
Ze doet het graag, want zij geniet er evenveel van als Henk.
Op een van die zondagen thuis neemt tante Dora haar even apart en vertelt haar met een blijde tinteling in haar stem dat zij in verwachting is. 'Jij bent, na je vader, de eerste die ik het vertel, Maartje,' zegt ze. 'Straks zal ik het ook aan de anderen vertellen.'
'Wat leuk! Gefeliciteerd, hoor!' Maartje slaat haar armen om de nek van haar tante en kust haar op beide wangen. Ze is echt blij voor haar, want ze beseft dat het voor deze vrouw een geweldig iets is, na altijd voor anderen gezorgd te hebben, het nu voor een eigen kindje te kunnen doen. Maar ze is ook een beetje bang. Bang dat ze zich te veel op haar eigen kindje zal concentreren en dat de andere kleintjes dan een beetje in de verdrukking komen. De jongste, in het kraambed waarvan haar moeder gestorven is, is tenslotte pas vier.
'Mag ik het grote nieuws aan mevrouw Overduin vertellen, tante?' vraagt ze en tante Dora knikt.
'Zelf zal ik haar voorlopig niet zien en voordat ze het van een ander hoort, heb ik liever dat jij het vertelt.' En dat doet Maartje de volgende ochtend dan ook.
'Dat is erg leuk voor je tante, Maartje,' vindt ook Lien Overduin.

Wel vindt ze het een beetje eng als een vrouw van over de veertig haar eerste kindje krijgt. 'Maar je tante is verstandig genoeg om zich strikt aan de adviezen van de dokter te houden en dan komt alles hopelijk wel goed.' Zelf is Lien Overduin ook over de veertig, maar haar laatste kind kreeg zij toen ze dertig was.
Als Maartje er later op de dag met Ada over praat is er volk aan de deur. 'Ga jij even kijken wie er is,' vraagt mevrouw Overduin en dat doet Maartje. Op dat moment kan zij niet bevroeden dat de nu nog onbekende bezoeker een grote rol in haar verdere leven zal spelen.
'Ik ben Siem Boekhoven,' stelt de bezoeker zich voor en hij vraagt de slager te waarschuwen, want die moet voor een noodslachting bij zijn baas langskomen.
Maartje noteert naam en adres van de baas van Siem en belooft de boodschap te zullen doorgeven. Zij wil dan de deur dichtdoen, maar Siem houdt haar even aan de praat. Hij is erg onder de indruk van het mooie meisje, dat hij nooit eerder gezien heeft. Hij veronderstelt dan ook dat zij niet van het dorp is.
'Nee, ik kom van Madedorp.'
'Ik heb je hier nooit eerder gezien.'
'Toch werk ik hier al vier jaar, hoor!' Ze wil het gesprekje niet meteen afkappen, want Siem is een aardige en knappe knul.
'Ga je hier weleens uit of naar de kerk?'
'Naar de kerk ging ik hier in het begin wel, maar de laatste tijd ook vaak in mijn eigen dorp. En om uit te gaan is er hier niet veel,' lacht ze. 'Ik heb een vriendin en met haar ga ik af en toe naar het dorpshuis.'
'O, daar kom ik nooit, vandaar dat ik je niet ken, want een mooi meisje als jij zou me zeker opgevallen zijn. Blijf je hier ook met de kermis?'
'Ja, dat denk ik wel.'
'Zou je met mij kermis willen vieren?'
'Met jou? Maar we kennen elkaar niet eens.'
'Nu nog niet, maar dan wel. Ik zou het erg leuk vinden. Hoe heet je eigenlijk?'
'Maartje Bieshof.'
'Maartje, dat klinkt goed. Een keertje samen kermis vieren is leuk,

hoor! Of heb je al een kermisvrijer?' Siem kijkt haar met een beetje angstige blik aan, want zo'n mooi meisje is natuurlijk allang gevraagd.
'Nee, een kermisvrijer heb ik nog niet, maar ik denk dat ik met mijn vriendin ga.'
'En als die al een kermisvrijer heeft?'
'Dat denk ik niet, want ze heeft er nog niets van gezegd.'
'Wil je het haar vragen en mag ik dan aan het einde van de week terugkomen om te vragen hoe je er dan over denkt?' Siem is zó onder de indruk van de mooie Maartje, dat hij veel meer durft te vragen dan gewoonlijk, want zo'n vlotte is hij doorgaans niet.
'Als jij die moeite wilt nemen, is het mij best, maar ik beloof niks, hoor!'
'Ik kom graag terug. Dag!' Siem stapt op zijn fiets en als hij even later omkijkt staat Maartje nog in het deurgat. Dat geeft hem moed. De hele weg terug naar zijn baas moet hij aan het mooie meisje denken en hij telt daarna de dagen af en hoopt maar dat Maartje ingaat op zijn uitnodiging.
Maartje zelf moet die dag ook telkens denken aan de bezoeker van die morgen. Zijn beeld doemt steeds weer op in haar gedachten. Siem Boekhoven heet-ie. Gek dat zij de naam waarmee die jongen zich voorstelde, zo goed onthouden heeft. Er komen wel meer mensen aan de deur en die stellen zich ook wel voor, maar hun namen vergeet ze altijd bijna meteen. Knap is-ie ook, maar ze krijgt geen vlinders in haar buik zoals bij Henk Cromhout. Nee, die Siem is best een aardige jongen, maar niks voor haar. Zij gaat kermis vieren met Jaantje en met niemand anders, maar als zij Jaantje er die avond naar vraagt blijkt die al een kermisvrijer te hebben.
'Maar daar heb jij niks van gezegd,' verbaast Maartje zich.
'Dat kon ook niet, want Paul heeft me gisteren pas gevraagd en ik heb 'ja' gezegd.'
'Ken ik die jongen?'
'Natuurlijk, het is Paul Pluijm, de vriend van onze Arie.'
'O!'
'Vind je het niet leuk voor me? Je weet toch dat ik een beetje verliefd ben op Paul.'
'Ja, dat weet ik, maar ik dacht dat wij samen kermis zouden vieren.'

‘Dat kan toch nog! Dan gaan we gewoon met ons drieën.’
‘Of met ons vieren.’
‘Hoezo? Wie is die vierde dan?’
‘Siem Boekhoven.’
‘Dat meen je niet. Nou, dan zit jij goed, want op school waren de meisjes al verliefd op hem. Een knappe knul, hoor! Maar hoe kom jij dan aan hem?’ De mond van Jaantje valt open van verbazing en zeker als ze hoort hoe het gesprek tussen Siem en Maartje verlopen is. ‘Dat valt me mee van Siem, want erg vlot is-ie niet met de meisjes. Hij komt ook nooit in het dorpshuis.’
‘Dat klopt, want dat vertelde hij ook. Daarom kennen we elkaar niet en weet je wat hij daarover zei?’
‘Nou?’
‘Dat zo’n mooi meisje hem anders zeker opgevallen zou zijn. Wat een charmeur, hè?’
‘Als hij dat allemaal durft te zeggen, dan heb jij wel een erg grote indruk op hem gemaakt. Maar ik begrijp uit je reactie op mijn kermisvrijer dat je nog niet definitief met hem afgesproken hebt.’
‘Klopt. Hij komt tegen het einde van de week terug om te vragen wat ik doe.’
‘En wat doe je?’
‘Wat vind jij?’
‘Jij moet zelf beslissen, Maartje, maar als ik jou was zou ik het zeker doen, want Siem is, zoals ik al zei, een aardige jongen en hij ziet er nog goed uit ook.’
‘Dan doe ik het.’ Maartje hakt resoluut de knoop door en die mededeling krijgt ook Siem als hij die zaterdag komt vragen wat ze besloten heeft. Afgesproken wordt dat hij haar op de kermisdag na de mis zal opwachten op het kerkplein.

De weergoden zijn de feestvierders in Adedorp gunstig gezind, want het is droog en de zon piept af en toe door het dunne wolkendek heen. Niet te warm en niet te koud, ideaal weer dus om kermis te vieren. Vooral de dorpsjeugd is al dagen in de ban van de kermis. Alle verrichtingen van de kermisklanten worden op de voet gevolgd en enkele potige jongens mogen helpen en verdienen zodoende nog een extra kermiscentje. Kees Overduin is daarbij

haantje de voorste en toont thuis trots een handvol centen en maakt daarmee zijn twee jaar jongere broertje Han danig jaloers.
'Jij krijgt van mij wel een kermiscentje, hoor Han!' zegt Maartje. Ze heeft altijd een zwak voor de jongen gehad. Kees is een belhamel en een pestkop, maar Han is een lief ventje en hem gunt ze dus zijn extra kermiscentjes.
'En ik dan?' vraagt Kees. Het zint hem niks dat zijn broertje geld krijgt waar hij niks voor hoeft te doen.
'Jij hebt toch al geld,' stelt Maartje vast, maar Kees vindt het oneerlijk. De jongens kibbelen nog wat tot de slager er een eind aan maakt en dreigt hun kermisgeld in te houden als zij nog langer ruziemaken. De rust keert dus weer en iedereen bereidt zich op zijn of haar eigen manier voor op de feestelijkheden. De slager zelf zit in de feestcommissie en mevrouw Overduin maakt zich sterk voor de prijzenpot van de kermisspelletjes van de schooljeugd. Alles is goed geregeld en het feest kan dus beginnen.
Maar voordat men zich in het feestgewoel stort en gaat genieten van alle kermislekkernijen, moet er eerst nog wat geestelijk voedsel 'genuttigd' worden. Vanaf de kansel wenst meneer pastoor de gelovigen een fijne feestdag, maar hij waarschuwt voor excessen. 'Een glaasje bier mag, maar overdrijf niet, want als de drank is in de man, is de wijsheid in de kan,' houdt hij de kerkgangers voor. Hij weet uit ervaring dat het geen overbodige waarschuwing is, want de messen zitten vaak los in de zakken en soms eindigt zo'n plezierige kermisdag in een drama.
Als na de mis de kerkdeuren openzwaaien blijkt het laatste restje wolken te zijn verdwenen en schijnt de zon op de lachende gezichten van de dorpelingen. Feest willen ze vieren. Eén keer per jaar alle remmen losgooien en geld uitgeven. Geld dat met hard werken is verdiend. Toch is een klein deel van die verdiensten voor de grote feestdag opzijgelegd. Maartje heeft een royale fooi van de slager gekregen en ze is er blij mee, want ze voelt er niks voor de hele dag op de zak van Siem te teren.
Als zij uit de kerk komt, staat Siem haar, zoals afgesproken, op het kerkplein al op te wachten. Ook Jaantje en Paul zijn er al. Ze besluiten eerst even te gaan luisteren naar de toespraak van de voorzitter van het Oranjecomité en daarna gezamenlijk koffie te gaan drinken

in het dorpscafé. Jaantje en Paul kennen Siem goed en het klikt onderling algauw. In tegenstelling tot Maartje kennen zij trouwens alle dorpelingen bij naam en toenaam. Dat maakt de kermis voor Maartje anders dan zo'n feest in haar eigen dorp. Daar kent ze ook iedereen en hier maar een handjevol mensen en dat zijn dan nog vooral de jongelui die ze, samen met Jaantje, in het dorpshuis ontmoet heeft.
Na de koffie slenteren ze over het kermisterrein, kijken naar de kinderspelen en klappen voor de boerenstellen die goed presteren bij het ringrijden. Bij de kop van Jut heeft Siem eerder zijn rozet te pakken dan Paul en dat levert hem complimenten van Maartje op. Hij is blij met alles op deze kermisdag en dat komt vooral door zijn gezelschap, waar hij geweldig trots op is. En niet ten onrechte, want Maartje ziet er in haar strakke jurkje heel lief uit. Dat hebben de vrienden van Siem ook in de gaten. Ze steken hun duim omhoog ten teken dat ook zij vinden dat hij het goed getroffen heeft. Maartje zelf wordt er een beetje verlegen onder, vooral als ze ook nog wat jaloerse blikken van meisjes opvangt.
Na het avondeten wordt weer afgesproken op het dorpsplein en dan schuiven ze allemaal aan in het achterzaaltje van het dorpscafé. De waard heeft een muzikant uit de stad ingehuurd en die heeft er slag van de stemming er bij de feestvierders in te brengen. Als de muzikant de dames en heren uitnodigt voor de dans, dan kijkt Siem bedenkelijk. 'Ik kan niet dansen, Maartje,' moet hij tot zijn schande bekennen, maar Maartje doet er niet moeilijk over.
'Dan schuiven we toch een beetje, joh; in de drukte heeft niemand dat in de gaten,' beurt ze hem op. Ze heeft allang gemerkt dat Siem geen branie is. Paul Pluijm, de kermisvrijer van Jaantje, is heel anders. Wel een aardige knul, maar een beetje opschepperig. Een doetje is Siem trouwens allerminst en dat merkt ze als de avond vordert en er enkele bezoekers binnengekomen zijn waarin zij dorpsgenoten herkent. Als die knapen haar in de gaten krijgen en zien dat zij steeds bij Siem is, worden ze nijdig. Ze kunnen het niet verkroppen dat een van de mooiste meisjes, die nota bene uit hun eigen dorp komt, kermis houdt met een vreemde. Als ze wat glazen bier op hebben, beginnen ze opmerkingen te maken en even later willen ze met Maartje dansen. Dat wil Siem niet en dat maakt hij

hen op niet mis te verstane wijze duidelijk. Samen met enkele kameraden grijpt hij ze in hun nekvel en smijt ze pardoes de straat op. 'Opgeruimd staat netjes,' lacht hij als hij terugkomt bij zijn meisje, maar Maartje is wel geschrokken. Niet zozeer omdat ze de knapen hun afgang niet gunt, maar meer om de praatjes die in haar dorp de kop zullen opsteken. Praatjes die Henk Cromhout zeker zullen bereiken. Hoe knap Siem ook is, Henk kan hij haar niet doen vergeten. Henk geeft haar complimentjes, maar van Siem moet ze die vandaag voor het eerst nog horen. Ze weet dat ze er leuk uitziet en zelfs Paul heeft dat al gezegd, maar Siem zegt niets. Hij is er trots op haar voor de kermis te hebben geschaakt, maar hij zegt het niet. Nee, Siem zit zo niet in elkaar. 'Een degelijke binnenvetter' noemde Jaantje hem en daar is hij aardig mee getypeerd.
'Gaan we nog eens samen uit, Maartje?' vraagt Siem bij het afscheid die avond. Hij geeft haar een bescheiden kusje en bedankt haar voor de heerlijke dag. Een vurig minnaar is hij allerminst. Nee, wat dat betreft kan hij bij Henk niet in de schaduw staan, maar Henk is een onbereikbaar doel. Leuk om een keertje mee te vrijen, maar zonder toekomst voor beiden.
'Waar wil je dan heen?' reageert ze op de vraag van Siem.
'In het dorpshuis is binnenkort een uitvoering van de toneelclub en daar zouden we samen heen kunnen gaan,' stelt hij voorzichtig voor en zij knikt.
'Dat is goed, Siem,' zegt ze en bedenkt dan dat Jaantje het ook al over die uitvoering had en er zeker heen gaat. Siem is wat bleu, maar wel een aardige jongen. Hem afwijzen wil ze niet. 'Haal me dan om halfacht maar af, Siem. Tot dan, hoor!' Ze drukt nog een kusje op zijn mond en opent met een eigen sleutel de deur van de slagerswoning. Zo, dit eerste avontuur met Siem zit erop. Het was best een fijne dag, maar vlinders in haar buik heeft ze niet.

Nee, van Siem Boekhoven heeft Maartje nog geen vlinders in haar buik, maar die krijgt ze wel als ze enkele weken later Henk Cromhout weer ontmoet. Wat haar precies naar het dorpshuis in haar eigen dorp drijft weet ze niet, maar de mogelijkheid Henk daar te ontmoeten, speelt zeker mee. En Henk is er.
'Maartje! Leuk dat je weer eens gekomen bent,' zo begroet hij haar.

En dan fluisterend: 'Ik dacht dat je me vergeten was.' Hij trekt haar mee naar een hoekje van de zaal en dan komt uit wat zij eerder vermoedde. Henk weet dat zij met een jongen kermis gevierd heeft en hij wil wel weer een eindje met haar mee fietsen als zij naar Adedorp gaat. Het is nog steeds aardig weer en zij weet wel zeker wat de bedoeling van Henk is en dat blijkt wel als hij zegt: 'Ons plekje is nog warm, schatje.'
Eigenlijk zou ze willen weigeren, maar het vooruitzicht weer te kussen en te knuffelen met Henk weerhoudt haar ervan dit te doen. In plaats daarvan zegt ze: 'Laten we dan maar gaan.'
Hun favoriete plekje hebben ze gauw bereikt en als Henk zijn jasje uitgespreid heeft, gaan ze weer dicht tegen elkaar aan zitten. 'Ik wil nog wel even met jou praten over die kermisvrijer in Adedorp, Maartje,' zegt hij terwijl hij haar innig tegen zich aan drukt.
'Waarom? Ben je jaloers?' Ze kijkt hem met een olijke blik aan en dan knikt hij.
'Ja, dat ben ik en dat waren de jongens die jou in Adedorp gezien hebben, ook. Wie is die jongen dan?'
'Waarom zou ik dat zeggen; je kent hem toch niet.'
'Maar ik wil het graag weten.' Hij kijkt haar met een ongelukkige blik in zijn ogen aan en drukt langzaam zijn mond op de hare. Het is een lange en innige kus en als hij haar mond eindelijk loslaat, slaakt hij een zware zucht.
'Ik gun jou niet aan een ander, schatje.' Hij drukt haar hoofd tegen zijn brede borst en drukt haar zo stevig tegen zich aan dat ze een gilletje van benauwdheid geeft.
'Je knijpt me haast fijn, joh!' Het komt uit haar mond als een klacht, maar dat is het niet. Ze koestert zich in de innige omhelzing van de jongen die haar al vele jaren het liefst is. Maar als hij nou zegt dat hij haar aan geen ander gunt, wat is dan zijn voorstel? Ze vraagt het hem en dan staat Henk met een mond vol tanden. Hij begrijpt haar vraag donders goed, maar toch haalt hij zijn schouders op.
'Wat voor 'n voorstel bedoel je dan?' vraagt-ie naar de bekende weg.
'Ik heb weer met die jongen afgesproken en misschien komt het wel tot verkering.'

‘Verkering?’ schrikt Henk.
‘Ja, is dat zo gek? Het is een knappe knul, hoor!’
‘En ik dan?’ Henk Cromhout staat bekend om zijn bravoure, maar nu kijkt hij als een geslagen hond. Zijn ogen worden zelfs vochtig als hij haar gezichtje in zijn sterke handen neemt en het overlaadt met innige kusjes om te eindigen bij haar rode mondje. ‘Ik kan je niet missen, lieveling,’ zegt-ie zacht.
‘Dat hoeft ook niet, maar dan moeten wij gaan verkeren.’
‘Officieel? Daar zijn we toch veel te jong voor.’ Hij beseft dat het een goedkope smoes is, maar wat moet hij anders? Nu al weet hij dat zijn vader zich met hand en tand zou verzetten tegen een eventuele verkering met een gewoon arbeidersmeisje. Nee, hij zal moeten trouwen met een gedegen boerendochter met flink wat geld achter de hand. Wie dat zal worden weet hij niet, maar wat hij wel weet is dat de meeste huwbare dochters van rijke boeren veel minder aantrekkelijk zijn dan Maartje.
‘Ik hoor het al, Henk. Jij gunt me niet aan een ander en je kunt me ook niet missen, maar vaste verkering wil je niet.’
‘Wil ik wel, maar het kan niet, lieve schat.’
‘Je mag van je vader niet met zo’n armoedzaaier als ik gaan verkeren, of heb ik het mis?’
‘Nee, je hebt gelijk, schatje. Mijn vader zal binnenkort wel met de een of andere rijke boerendochter aankomen en wat moet ik dan? Jij kent als ieder ander de gewoonten in deze streek toch ook. Was ik maar gewoon boerenknecht.’
‘Dat word je vanzelf als je met mij trouwt, want je vader zal je dan wel onterven, dus wat let je.’
‘Het klinkt allemaal zo hard uit jouw lieve mondje, Maartje.’
‘Maar het is toch zo, Henk. De jongen waarmee ik kermis gehouden heb, is ook boerenknecht. Maar ik geef de voorkeur aan jou, hoor!’ Ze kijkt hem met een liefdevolle blik aan en beseft dat het afgelopen is. Doorgaan met elkaar het hoofd op hol jagen is zinloos. Dat besef doet iets in haar breken en snikkend vlijt ze haar hoofd tegen zijn borst. Hij streelt haar en heeft geen woorden meer, want ook bij hem snoert de emotie zijn keel dicht.
‘Wat er ook gebeurt, ik zal altijd van je blijven houden, lieveling,’ besluit hij en dan nemen ze met tranen in de ogen afscheid.

Dat vader Gerrit Cromhout vastomlijnde plannen met zijn enige zoon heeft, blijkt algauw. Hij is inmiddels vijfenzestig en hij zal dus tijdig maatregelen moeten nemen om het roer aan zijn zoon te kunnen overgeven. Zijn twee dochters zijn getrouwd en inmiddels gezeten boerinnen op eigen hoeven. Voor Henk moet hij een vrouw zoeken die boerin op Madezicht wordt als hij en zijn vrouw Hes er de brui aan geven. De beste partij die hij zich kan bedenken is Corrie Terlinge. Zij komt uit een goed nest, want haar ouders, Klaas en Coba Terlinge, zijn hardwerkende mensen die hun dochter graag zullen toevertrouwen aan zijn zoon. Dat heeft hij inmiddels van Klaas vernomen. Een minpuntje is wel dat Corrie een zwakke gezondheid heeft.
'Ik wil eens met je praten, Henk,' zegt hij als de eerste najaarsstorm over het land raast en hij de reumatiek weer hinderlijk in zijn botten voelt.
'Je kijkt zo ernstig, pa; is het zo'n zwaarwichtig onderwerp?' Henk beseft op dat moment niet dat zijn vader doelt op een gesprek dat een ommekeer in zijn leven gaat betekenen.
'Ja, het is een belangrijk onderwerp, jongen.' Vader Gerrit zucht eens diep en nipt van de koffie die de boerin net ingeschonken heeft. 'Ik word een jaartje ouder en vooral met dit gure weer voel ik de reumatiek in mijn botten. Het wordt dus tijd dat ik aan opvolging ga denken, maar als jij hier boer op Madezicht wordt, hoort daar ook een boerin bij.'
'O, gaat het daarover.' Henk denkt terug aan de laatste ontmoeting met Maartje en een ogenblik overweegt hij haar als de nieuwe boerin voor te stellen, maar dat wil hij zijn vader toch niet aandoen, want hij weet dat daar veel narigheid van zou komen.
'Ja, daar gaat het over, jongen. Het zou me een groot genoegen zijn als jij zaterdagavond op de koffie wilt gaan bij Klaas en Coba Terlinge om het eens te worden met hun dochter Corrie.'
'Corrie Terlinge?' Henk kijkt zijn vader met grote ogen aan.
Hij weet dat Klaas Terlinge na zijn eigen vader de rijkste boer van het dorp is, maar Corrie is een kasplantje. Een lief broos meisje is het, maar geen vrouw voor hem en zeker geen boerin voor het machtige Madezicht.
'Ja, Corrie Terlinge,' reageert zijn vader. 'Kijk je daar zo van op?

Je zult toch met me eens zijn dat er geen betere partij op het dorp te vinden is.'
'Het geld zit goed, dat weet ik ook wel, maar Corrie is altijd ziek of onderweg. Wat moet ik met zo'n broos vrouwtje als boerin?'
'Ik weet dat ze niet zo sterk is, maar broos is ze niet. Het is een wat rare vergelijking, maar krakende wagens lopen het langst, Henk.'
Het is wel duidelijk dat Gerrit Cromhout met zijn kop door de muur wil. Geld speelt voor hem een allesoverheersende rol. 'Ga jij zaterdagavond nou maar naar Terlinge, dan komt alles goed.' En daar kan Henk het mee doen. Wel ligt hij 's nachts uren wakker en bedenkt allerlei mogelijkheden om eronderuit te komen, maar ze brengen hem geen stap verder. Soms droomt-ie dat hij met Maartje mag gaan boeren op Madezicht, maar als hij dan met een gelukkige glimlach om zijn mond wakker wordt, is de ontgoocheling groot. Er zit niets anders op dan die zaterdag naar Terlinge te gaan en Corrie te vragen zijn meisje te worden.

Gebeurtenissen van enige importantie blijven niet lang geheim in het kleine dorp aan de Made en zeker niet als ze te maken hebben met de rijkste boeren uit de streek of hun kinderen. Als Maaartje thuis is heeft vader Teun een nieuwtje. 'Henk Cromhout en Corrie Terlinge zijn het eens geworden,' weet hij te vertellen en dat nieuws slaat bij haar in als een bom.
Het is nog maar zo kort geleden dat ze met Henk sprak over diens toekomst en nu is het al zover. Corrie Terlinge, hoe verzinnen ze het? Zij kent Corrie vanaf haar prilste jeugd, want ze zijn even oud en hebben tijdens hun schooltijd steeds in dezelfde klassen gezeten. Corrie is altijd een wat tenger en ziekelijk meisje geweest en ze weet wel zeker dat zij niet past bij de gezonde en levenslustige Henk Cromhout. Maartje is jaloers, maar ze beseft dat er niets aan te doen is. Het meisje is de dochter van een van de rijkste boeren van het dorp en dat vooral zal voor vader Gerrit de doorslag gegeven hebben. Zij is ervan overtuigd dat Corrie niet de keuze van Henk zelf is.

HOOFDSTUK 4

Het is eind november en donkere wolken hangen boven het kleine dorp aan de Made. Een snijdende wind voert natte sneeuw aan en deze verandert de paden naar de boerenhofsteden in modderige glijbanen. In dit troosteloze beeld klinken de klokken van de dorpskerk op deze dinsdagmorgen somber en onheilspellend. De dorpelingen luisteren aandachtig naar het sombere klokgelui en vragen zich af wie er gestorven is, want dat er een sterfgeval op het dorp is, lijdt geen twijfel.
Op Madezicht worden de luiken gesloten, want daar heerst diepe verslagenheid. Gerrit Cromhout, de invloedrijke boer van die grote hoeve, is in de vroege ochtend van die ijzige novemberdag aan een hartstilstand overleden. De oude boer had last van reumatiek, dat was alom bekend, maar hoe hij zo plotseling aan een hartstilstand kon overlijden is voor bijna iedereen een raadsel. Voor bijna iedereen, maar niet voor dokter Kronestijn. Bij hem klaagde de boer de laatste tijd over benauwdheid, maar zijn huisgenoten hield hij erbuiten. Wel volgde hij de raad van de dokter op het wat kalmer aan te gaan doen en dat was voor hem ook de directe aanleiding haast te maken met het regelen van zijn opvolging. Henk moest gekoppeld worden aan een rijke boerendochter en de keuze viel op Corrie Terlinge. Die twee hebben nu enkele maanden vaste verkering en velen vragen zich af of Gerrit Cromhout zijn einde voelde naderen toen hij tot koppelen besloot. De dood van de oude boer is een schok voor het hele dorp, want 'baas Cromhout' was een begrip. Hij was de man die, samen met Klaas Terlinge, de belangrijkste verenigingen aanvoerde. In vele gezinnen wordt er op die gure novemberavond bij het avondgebed een extra Weesgegroetje gebeden voor de zielenrust van de overledene.
Als enkele dagen later de kist met het stoffelijk overschot van de boer door het dorp naar de kerk gereden wordt, zijn op de hele route de luiken en gordijnen gesloten. De kerk is tot de laatste plaats bezet, want wie maar even tijd kan vrijmaken wil de vooraanstaande boer de laatste eer bewijzen.
Pastoor Huibrechts spreekt troostende woorden tot de nabestaan-

den. 'Gerrit Cromhout zal in onze herinnering voortleven als een man die zich met al zijn krachten inzette voor de gemeenschap. In zijn bestuurlijke functies wist hij steeds de juiste beslissingen te nemen en was hij de bindende factor. Hij was een voorbeeld voor velen en zijn overlijden heeft dan ook een schok teweeggebracht in onze gemeenschap. Hij is ons te vroeg ontvallen. Moge de familie troost putten uit de gedachte dat hij in het hiernamaals door God beloond zal worden voor zijn leven in dienst van de medemens.' De mensen knikken dat zij het roerend eens zijn met meneer pastoor.

Maartje heeft vrij gevraagd om de begrafenis te kunnen bijwonen. Cromhout was jarenlang haar dichtstbijzijnde buur en in die tijd zag ze hem ook bijna dagelijks als zij melk haalde. Maar dat is niet de enige reden waarom zij erbij wilde zijn. Zij weet wel zeker dat Henk veel verdriet zal hebben door het plotselinge overlijden van zijn vader en door haar aanwezigheid wil ze hem laten merken dat ze met hem meeleeft. Ze heeft hem door het middenpad naar voren zien lopen en hun blikken kruisten elkaar voor een moment. Zijn ogen lichtten even op toen hij haar zag en dat trof haar zó, dat er een snik opwelde in haar keel en dat ze haar tranen amper kon bedwingen. Naast hem liepen zijn oudere zusters Mien en Gonda. Zij wonen op hoeven buiten het dorp en daardoor heeft zij ze lange tijd niet gezien. Ze vindt ze oud en dik geworden. Dit in tegenstelling tot Corrie Terlinge, die mager en bleek is.

Ze heeft te doen met Henk, die met dit ongezonde meisje moet verkeren en nu ook zijn vader verloren heeft. Zij herinnert zich de oude boer als een rechtschapen mens. Natuurlijk zou ze het hem kwalijk kunnen nemen dat hij zijn zoon aan zo'n broos meisje gekoppeld heeft en dat alleen maar omdat ze rijke ouders heeft, maar de man wist niet beter. Van geslacht op geslacht is het nooit anders geweest. Rijke boeren willen hun vermogen niet versnipperen, maar juist aanvullen met nieuw kapitaal. Als zoon van een rijke boer je tegen deze gewoonte verzetten betekent onterving en in het ergste geval verstoting uit de familie. Voor Henk net een paar stappen te ver. Ze begrijpt het wel, maar toch vraagt ze zich af wat ze zelf in zo'n situatie zou doen. Geld en bezit zijn toch

niets in vergelijking tot de liefde die je voor elkaar voelt. Enfin, het is nu niet de tijd en de plaats om daaraan te denken.
Onder de klanken van het orgel en de door het koor gezongen antifoon 'in paradisum' wordt de kist ten slotte de kerk uit gedragen en begeleiden de belangstellenden de boer naar zijn laatste rustplaats. Daarna is er in de grote zaal van Het Tappunt gelegenheid de familie te condoleren. Henk houdt even haar hand vast als zij hem condoleert. Ze ziet een smartelijke blik in zijn ogen en dat doet haar pijn. Het liefst zou zij haar armen om zijn nek slaan en hem een troostende kus geven, maar ze moet verder om ook de anderen een hand te geven. Ze gaat ook nog even bij bekenden aan een tafeltje zitten en drinkt een kop koffie, maar haar blik wordt steeds getrokken naar het rijtje mensen dat het rouwbeklag in ontvangst neemt. Het valt haar daarbij op dat haar blik steeds die van Henk kruist. Deze begrafenis en vooral de bijna radeloze blik van Henk laten een diepe indruk bij haar achter en de rest van de dag is ze er danig door van streek.

Die zaterdagavond wordt er in de scheerwinkel van Theo de Waard nog druk nagepraat over de dood en de begrafenis van Gerrit Cromhout. 'Het lijkt wel of Gerrit een vooruitziende blik had toen hij zo kort voor zijn dood Henk aan dat meisje van Klaas Terlinge koppelde,' meent smid Cor Duinstee. 'Toen hij zijn eindje voelde naderen heeft hij nog vlug zijn opvolging, inclusief een boerin op Madezicht, zekergesteld. Maar daar zal jij wel meer van weten, Kobus,' veronderstelt hij.
'Ik weet er helemaal niet meer van,' reageert Kobus Briele. Hij is al vele jaren knecht op Madezicht en heeft baas Gerrit evenzovele jaren meegemaakt. 'Gerrit voelde helemaal niks aankomen. Dat hij juist kortgeleden een meisje voor Henk koos, is louter toeval,' meent Kobus. 'Nee mensen, voor mij kwam de dood van de boer ook als een volkomen verrassing en je mag gerust weten dat ik er veel verdriet van heb. Gerrit was een beste baas en een goed mens; we zullen hem missen, maar daarover heeft meneer pastoor al genoeg gezegd.'
'Maar wat vind jij dan van de keuze van Gerrit?' wil de smid weten. 'Jij ziet toch ook wel dat die twee niet bij elkaar passen.

Henk een gezonde knul en nogal een branieschopper en Corrie een ziekelijk, bedeesd meisje.'
'Daar bemoei ik me niet mee, Cor,' reageert de oude knecht.
'Maar hij is nu wel je nieuwe baas en Corrie neemt op den duur de plaats van Hes Cromhout als boerin op Madezicht over.'
'Over Corrie heb ik geen mening, want ik ken haar amper, maar Henk ken ik al vanaf zijn geboorte.'
'Waar niemand op gerekend had,' lacht koster Joop Dam. 'Gonnie, de jongste dochter van Gerrit en Hes, was toen al tien jaar en haar zuster Mien nog eens twee jaar ouder. Ik heb begrepen dat Henkie danig verwend werd.'
'Dat is wel zo, maar het had echt niet veel invloed op hem. Henk is altijd een aardig joch gebleven; ik heb tenminste nooit moeite met hem gehad. Hij heeft het nu zwaar,' zucht Kobus.
'Daar ligt voor jou dan een schone taak, Kobus,' meent de kapper en Kobus knikt.
'Het is voor zo'n jonge kerel een hele verantwoording zo'n grote hoeve te moeten leiden, maar op mijn steun kan hij rekenen.' Op dat moment beseft Kobus Briele niet dat die steun maar van betrekkelijk korte duur zal zijn.

Intussen gaat het leven in het kleine dorp aan de Made gewoon door. Er wordt nog een poos nagepraat over het lot dat Madezicht getroffen heeft, maar door de beslommeringen van alledag hebben de mensen geen tijd om lang bij blijde of droeve gebeurtenissen stil te staan.
Een blijde gebeurtenis wordt door tante Dora aangekondigd als Maartje weer een zondag thuis doorbrengt. Zij verwacht haar tweede kindje en het wordt zo langzamerhand passen en meten in het kleine huisje, waarin ze met Teun en zes kinderen woont. Naast Maartje zijn er nu nog twee meisjes die in hun dienstjes wat geld verdienen. Het is niet veel, maar alle beetjes helpen. Afgesproken is dat Annie, het zusje dat net onder Maartje komt, een dienstje voor dag en nacht zal nemen als de kleine er eenmaal is.
Maartje zelf heeft nu vaste verkering met Siem Boekhoven. Ze zijn, zoals na de kermis afgesproken werd, naar de uitvoering van

de toneelclub geweest en daar waren ook Jaantje en haar vrijer Paul Pluijm. Ook Jaantje is met Paul doorgegaan en dat was voor Maartje mede een aanleiding om ook na de toneeluitvoering weer met Siem af te spreken. Haar hart is nog steeds bij Henk Cromhout, maar Siem heeft zich ontpopt als een trouwe lobbes en hij is zeker niet onknap. Ze had het slechter kunnen treffen. Ze merkt aan alles dat hij echt van haar houdt, maar, zoals Jaantje al opmerkte, is hij een beetje een binnenvetter en uit zich niet makkelijk. Met Henk is ze dat heel anders gewend, maar dat is een gepasseerd station. Ze weet zeker dat Henk nog van haar houdt, maar nu zijn vader overleden is en hij de baas is op Madezicht, is er voor hem geen weg terug meer. Hij zal trouwen met Corrie Terlinge en zij? Ze moet maar een beetje meer haar best doen om van Siem te gaan houden. Op haar vrije zondagen is zij nu vaak bij diens ouders. Het zijn aardige mensen en de andere gezinsleden zijn ook hartelijk. Hoewel ze al bijna zes jaar in Adedorp werkt, merkt ze dat ze toch nog steeds niet met alle onderwerpen die in het gezin Boekhoven besproken worden, kan meepraten. In haar eigen dorp kent ze iedereen bij naam en toenaam en heeft ze aan een half woord genoeg als ze het over iemand hebben, maar hier mist ze vaak de aansluiting. Op die momenten mist ze haar eigen vertrouwde omgeving met mensen die ze al van kindsbeen af kent. Met tante Dora kan ze goed opschieten. Vreesde ze aanvankelijk dat zij haar eigen kinderen zou voortrekken, nu weet ze beter. Zij is een goede vrouw voor haar vader en alle kinderen worden op dezelfde wijze behandeld. Van voortrekken is absoluut geen sprake. Ook Siem voelt er zich helemaal thuis en doet niets liever dan zijn aanstaande schoonvader helpen in zijn moestuin. Aan stilzitten heeft hij een gloeiende hekel, maar als de kleinsten beslag op hem leggen, dan geeft hij hun alle aandacht waar ze om vragen.

Het eerste wat Maartje steeds vraagt als ze thuiskomt is of er nog nieuwtjes zijn. Veel gebeurt er doorgaans niet in het kleine dorpje aan de Made, maar ook de schijnbaar onbeduidende gebeurtenissen interesseren haar. De gebeurtenis waarover vader Teun op een zondag praat is weliswaar niet wereldschokkend, maar zij

heeft met Madezicht te maken en alleen dat al wekt de belangstelling van Maartje. Kobus Briele, de oude knecht, is plotseling aan een beroerte overleden.
'Een hele klap voor Henk Cromhout,' weet vader Teun. 'Toen ik er vorige week meel bezorgde, merkte ik dat Henk er behoorlijk door aangeslagen is.'
'Dat verbaast me niks,' reageert Maartje. 'Toen Henk geboren werd, werkte Kobus er al.'
'Ja, hij was gehecht aan Kobus, maar dat is het niet alleen. Van Henk begreep ik dat de oude knecht sinds de dood van Gerrit Cromhout zijn steun en toeverlaat was. Dus ook in dat opzicht zal hij hem erg missen.'
'Dan zal Henk dus op zoek moeten naar een nieuwe knecht,' meent Maartje en vader Teun knikt.
'Dat zal hij zeker, en hij moet er niet te lang mee wachten, want per 1 mei hebben de beste knechten zich verhuurd.' De laatste woorden van haar vader spelen Maartje de rest van de dag door het hoofd. Siem is, blijkens de uitlatingen van zijn baas, een beste knecht, maar op het grote bedrijf waar hij werkt, is hij niet de eerste knecht. Dat zou hij op Madezicht wèl kunnen worden. Ze hebben inmiddels al een hele poos verkering en ze hebben ook al eens over trouwen gesproken. Zij wil wel met Siem trouwen, want hij is een lieve jongen en hij houdt veel van haar. Een probleem is echter om geschikte woonruimte te vinden. Als Siem knecht wordt op Madezicht, dan hebben zij recht op het daggeldershuisje. Het gaat haar wel aan het hart de vrouw van de gestorven knecht uit haar huisje te verjagen, maar dat wordt ze vroeg of laat toch. Voor elke getrouwde nieuwe knecht zal zij tenslotte het veld moeten ruimen.
'Is het niks voor jou om de plaats van Kobus Briele in te nemen, Siem?' vraagt zij als ze samen terugfietsen naar Adedorp. 'Madezicht is een van de grootste hoeven van het dorp en er is een huisje bij, zodat wij ook kunnen trouwen.' Siem kijkt haar verrast aan en er komt een blijde lach om zijn mond.
'Ik heb er eerlijk gezegd niet meteen aan gedacht, maar alleen al het idee vlug met jou te kunnen trouwen spreekt me enorm aan.'
'Mij ook, Siem, maar voor mij is er nog een belangrijke reden.'

'Welke dan?'
'Dat ik terug kan keren naar mijn eigen dorp. In Adedorp ken ik inmiddels veel mensen, maar ik voel me er toch altijd nog een vreemde. Hier ken ik iedereen bij naam en toenaam en hier voel ik me echt thuis. Maar voor jou geldt natuurlijk het omgekeerde.'
'Och, ik ben niet zo gehecht aan Adedorp. Samen met jou in een eigen huisje en een goede baan op een grote hoeve zijn dingen die ik veel belangrijker vind.'
'Ga je praten op Madezicht?'
'Ik laat er geen gras over groeien, Maartje, dus wil ik er morgenavond al heen.' En het gebeurt zoals Siem zich voorgenomen heeft. De volgende avond stapt hij na de avondboterham op de fiets en rijdt naar de hoeve, waar hij een gesprek heeft met Henk Cromhout.

'Mijn naam is Siem Boekhoven en ik kom eens informeren naar de mogelijkheid de plaats van je overleden knecht in te nemen.'
'Help me eens een handje; je naam komt me bekend voor, maar ik weet niet meer in welk verband ik die gehoord heb. Wat ik wel weet is dat je niet van het dorp bent,' reageert Henk Cromhout, zijn bezoeker nieuwsgierig opnemend.
'Nee, ik kom uit Adedorp en daar heb ik verkering met een meisje uit dit dorp. Je kent haar ongetwijfeld; ze heet Maartje Bieshof.'
'Maartje?' Henk kijkt zijn bezoeker aan alsof hij water ziet branden.
'Ja, Maartje Bieshof. Haar vader is knecht bij de meelhandelaar.' Siem vindt het een beetje vreemd dat de jonge boer zo ongelovig kijkt. 'Je zult haar toch wel kennen, want haar vader en stiefmoeder wonen hier vlakbij.'
'Natuurlijk ken ik Maartje en ik weet ook wel dat ze in Adedorp verkering heeft, maar jou heb ik nooit eerder gezien,' herstelt Henk zich. 'Heb je belangstelling voor de plaats van Kobus Briele?'
'Dat hangt ervan af of je kunt instemmen met mijn wensen.'
'En welke zijn je wensen?'
'Maartje en ik willen trouwen en gaan wonen in het huisje waar-

in nu nog de vrouw van je overleden knecht woont en ik wil graag twee gulden per week meer verdienen dan nu.' Siem noemt het loon dat hij bij zijn huidige baas verdient.
'Zo, jij weet wat je wilt!' Henk kijkt zijn bezoeker met gemengde gevoelens aan, want hij realiseert zich dat hij oog in oog staat met de knul die verkering heeft met zijn lieve meisje. Verzet en jaloezie wellen in hem op, maar meteen onderdrukt hij die gevoelens. Die Siem mag niet merken dat hij helemaal in de war is.
'Ik overvraag toch niet,' reageert Siem op de uitlating van de jonge boer.
'Hoe bedoel je dat?' Henk is zó in beslag genomen door de wetenschap dat de vrijer van Maartje zich als knecht bij hem aanbiedt, dat hij even de draad kwijt is.
'Dat het loon dat ik vraag toch niet overdreven is voor een eerste knecht.'
'Nee nee, natuurlijk niet.' Het is een wat rare reactie, na zijn eerdere uitspraak, maar Siem kan niet weten dat Henk met zijn gedachten meer bij het huisje van Kobus Briele is. In dat huisje wil de knaap met Maartje gaan wonen. Het staat op nog geen steenworp afstand van de hoeve. Het liefdesnestje dat hij zichzelf zo graag gegund had, zal worden bezet door Siem Boekhoven. Elke dag zal hij ermee geconfronteerd worden en genoegen moeten nemen met een leven met de ziekelijke Corrie Terlinge. Is het wel verstandig de knul aan te nemen?
'Zal ik dan mijn baan per 1 mei maar opzeggen?' Siem begrijpt eigenlijk niks van de weifelende houding van Henk Cromhout.
'Als het loon geen bezwaar is dan zullen we het over de rest ook weleens worden. Ik ga er tenminste vanuit dat Maartje en ik na ons trouwen in het daggeldershuisje kunnen trekken.'
'Ja, dat kan; voor vrouw Briele zal wel een andere oplossing gevonden worden.' Henk is wat van de schrik bekomen en kan weer normaal denken. Die Siem is een flinke kerel en hij zal er zeker een goede knecht aan hebben. En het is toch ook wel fijn Maartje dicht in de buurt te hebben. 'De hand erop, Siem; wij zullen het samen goed kunnen vinden. Voor mij is het weer wat anders met een man van mijn eigen leeftijd te kunnen werken.' En zo wordt de samenwerking met een ferme handdruk bezegeld.

Van de innerlijke strijd die zijn nieuwe baas zojuist gevoerd heeft, blijft Siem onkundig. Voor hem zijn drie dingen belangrijk: Hij kan trouwen met het meisje waar hij van houdt, hij wordt eerste knecht op het kapitale Madezicht en ten slotte gaat hij er in loon op vooruit. Hij is blij met die boodschap bij Maartje terug te kunnen komen.
'Hoe is het gegaan?' wil zij uiteraard meteen weten als ze Siem ziet.
'Heel goed!' lacht Siem blij. 'Ik ben aangenomen, krijg twee gulden in de week meer dan ik nu verdien en het belangrijkste is dat we kunnen trouwen, want voor vrouw Briele wordt een oplossing gevonden en dan kunnen wij in het huisje dat bij de hoeve hoort.'
'Ging Henk Cromhout meteen met je eisen akkoord?'
'Eigenlijk wel, ja. Maar hij reageerde een beetje raar.'
'Hoe dan?' Maartje is nogal gespannen, want ze zou het betreuren als Henk iets over hun innige relatie zou vertellen.
'Ik kan het geen naam geven. Eerst leek het wel of hij jou helemaal niet kende en vervolgens keek hij me met een glazige blik nogal afwezig aan. Het leek wel of mijn wensen maar half tot hem doordrongen.'
'Maar hij zei toch wel dat hij me kende.'
'Uiteindelijk wel, maar zijn hele houding was weifelend.'
'Maar je zegt dat je bent aangenomen.'
'Klopt. Ik wilde duidelijkheid en die kreeg ik ook. Meer dan dat. Hij verwacht dat wij het samen goed zullen kunnen vinden en hij wekte de indruk dat hij het prettig vindt met iemand van zijn eigen leeftijd te werken.'
'Dat kan ik me voorstellen, want Kobus Briele was al erg oud toen hij overleed.' Maartje kan opgelucht ademhalen, want over de innige vriendschap die zij altijd met Henk gehad heeft, is totaal niet gerept.
'Afgezien van zijn wat verstrooide optreden lijkt die Henk Cromhout mij een erg geschikte baas. Een aardige kerel. Hij bezegelde onze samenwerking met een ferme handdruk en dat wekt vertrouwen. Ik ben blij dat ik gegaan ben,' besluit Siem.
'Dat ben ik ook, Siem.' Ja, Maartje is ook blij. In de eerste plaats omdat ze voorgoed terug kan komen in haar vertrouwde dorpje,

maar toch ook wel, ze moet het tot haar schande bekennen, dat ze weer in de buurt van Henk komt. Ze krijgt er vlinders door in haar buik. Haar verstand zegt haar dat de persoon van Henk Cromhout geen rol mag spelen, maar als het gevoel overheerst is het verstand onberekenbaar. Uit het verhaal van Siem maakt ze op dat het Henk waarschijnlijk ook zo vergaat. Hij was volgens Siem verstrooid en afwezig en zij denkt te weten waarom. Henk heeft Siem nooit ontmoet en dan plotseling staat hij oog in oog met iemand die beweert verkering te hebben met het meisje dat hij liefheeft. Dat moet voor Henk een schok geweest zijn. Als ze eenmaal getrouwd is en in het huisje vlak bij de hoeve woont, zal ze afstand tot Henk moeten bewaren en ze weet nu al dat dat niet mee zal vallen.

De ontwikkelingen gaan nu snel. Siem zegt zijn oude baan op en begint zijn taak per 1 mei op Madezicht. Omdat Kobus Briele altijd, samen met zijn vrouw Trui, in het daggeldershuisje gewoond heeft, is er geen knechtenkamer in de hoeve. Er een inrichten voor enkele maanden loont de moeite niet, dus neemt Siem tijdelijk zijn intrek bij de weduwe Briele. Ze is blij met het gezelschap en bij Siem vindt ze een gewillig oor als ze hem deelgenoot maakt van haar verdriet. 'Een lieve jongen,' zegt ze als Maartje af en toe langskomt. 'Als jullie getrouwd zijn, zal je er een goede man aan hebben, meissie.' De twee kennen elkaar al vele jaren en samen kunnen ze dus herinneringen ophalen aan de tijd dat Kobus nog leefde. Truitje vindt het steeds weer jammer als voor Maartje de tijd aanbreekt dat ze moet opstappen, maar het kan niet anders omdat er veel te regelen valt. Samen met Siem brengt ze diverse bezoeken aan pastoor Huibrechts, want voordat de trouwdatum kan worden vastgesteld moet er eerst een aantal gesprekken met hem gevoerd worden.
'Ik ben blij dat je terugkomt in je oude parochie, Maartje, want we hebben je wel gemist, hoor!' Waarschijnlijk zegt meneer pastoor dat tegen alle oud-parochianen die terugkeren, maar bij Maartje klinken de woorden van de oude pastoor haar als muziek in de oren. Ze heeft goede herinneringen aan pastoor Huibrechts. Zeven was ze toen ze de indrukwekkende plechtigheid van de Eerste

Heilige Communie meemaakte. Vooraf had de pastoor haar en haar leeftijdgenootjes voorbereid op de grote dag. Later ging ze geregeld, meestal in klassenverband, haar pekelzonden bij hem biechten. Hij zei dan al dat ze braaf was voordat ze echt klaar was met haar, uit het hoofd geleerde, rijtje 'wandaden'. Nu begrijpt ze dat het voor een pastoor een hele opgave is alle onbenullige zonden van de kleintjes te moeten aanhoren en er nog serieus onder te blijven ook. Ze herinnert zich dat ze steeds aangenaam verrast was dat de penetentie, bestaande uit drie Weesgegroetjes, zo mild uitviel, want in haar beleving had ze het best bont gemaakt.

Als alle gesprekken met meneer pastoor gevoerd zijn, staat niets het vaststellen van de trouwdatum nog in de weg en op een zondag zien alle kerkgangers de aankondiging van het aanstaande huwelijk tussen Siem Boekhoven en Maartje Bieshof. De mannelijke leeftijdgenoten van Maartje vinden het maar niks dat een knecht uit Adedorp een van de mooiste meisjes uit hun dorp gestrikt heeft. Ze durven er echter niets tegen te ondernemen, want de bruidegom is inmiddels knecht geworden bij Henk Cromhout en die invloedrijke jonge boer tegen zich in het harnas jagen, doen ze maar liever niet.
Nu de trouwdatum met rasse schreden nadert krijgen de vrouwen het druk om het daggeldershuisje op orde te brengen. De weduwe Briele is bij haar dochter ingetrokken en Maartje heeft wat spulletjes voor een zacht prijsje kunnen overnemen. Het hele huis wordt onderhanden genomen en Henk zorgt voor witkalk om de wanden te sauzen en verf om alles van een fris kleurtje te voorzien. Siem en Maartje hebben allebei een spaarpotje, waarvan meubeltjes, keukengerei, beddengoed en gordijnen aangeschaft kunnen worden. Als alles een plaatsje heeft gekregen en de gordijntjes voor de ramen hangen, ziet het er knus en gezellig uit. Het huisje is klaar om het bruidspaar te ontvangen en het bruidspaar is er klaar voor om in het huwelijksbootje te stappen. Ze zijn wel een beetje zenuwachtig, want hoewel ze niets aan het toeval hebben overgelaten, kan er wellicht nog van alles misgaan.
'Wat dan?' vraagt tante Dora lachend als Maartje alles nog eens zorgvuldig nagaat. Over één ding hoeft ze zich geen zorgen te

maken en dat is over haar bruidstoilet. Tante Dora heeft zich avondenlang uitgesloofd om er iets moois van te maken en dat is gelukt. Als Maartje zichzelf in de grote spiegel bekijkt, knikt ze tevreden naar haar spiegelbeeld. Ze ziet er heel mooi uit, maar ze kijkt niet helemaal gelukkig. Natuurlijk houdt ze op haar manier wel van Siem, maar de laatste tijd is ze weer bijna dagelijks in de buurt van Henk geweest en dan schaamt ze zich eigenlijk voor haar gevoel. Ze trouwt met Siem, maar ze verlangt naar Henk. Heel naar en oneerlijk tegenover Siem en ze doet dan ook verwoede pogingen dat gevoel van zich af te zetten, maar het lukt gewoon niet. Ze begint zich nu al af te vragen of ze er wel verstandig aan gedaan heeft Siem te wijzen op de opengevallen plaats op Madezicht. Het is de kat op het spek binden en de arme Siem heeft niets in de gaten. Hij is wel gespannen, maar ook erg gelukkig met de gang van zaken.

De weergoden zijn het bruidspaar gunstig gezind, want als Maartje op haar trouwdag, na een doorwaakte nacht in het overvolle huisje van haar vader en stiefmoeder, uit bed stapt en het gordijntje openschuift, verschijnt de zon reeds als een rode bal aan de horizon. Het belooft een prachtige dag te worden en dus gaat ze zich vlug klaarmaken voor de grote gebeurtenis.
Bertus Boekhoven, een broer van Siem, mag paard en kapwagen van Henk Cromhout lenen en daarmee zal hij het bruidspaar naar de kerk rijden. Voor een knecht en de dochter van een knecht is het allemaal nogal deftig, maar Henk bood paard en rijtuig uit zichzelf aan en zowel Siem als Maartje is hem er erg erkentelijk voor.
Onder het vrolijke gebeier van de klokken lopen de dorpelingen naar de kerk en velen blijven op het plein ervoor wachten op het bruidspaar. Hoewel ze al jaren in Adedorp werkt, kennen ze Maartje allemaal, maar de bruidegom is nog een vreemde. Ze weten dat hij knecht is op Madezicht en tot vandaag onderdak vond bij Truitje Briele, de weduwe van de overleden knecht van boer Cromhout, maar verder weten ze niets van hem.
'Een knap stel' is de mening van de wachtenden als het bruidspaar arriveert. Daarna volgt de huwelijksmis en worden Maartje en Siem door pastoor Huibrechts in de echt verbonden. Tot de

belangstellenden behoort ook Henk Cromhout. Liever had hij zichzelf deze gang bespaard, maar zijn eerste knecht trouwt en dan kan hij uiteraard niet wegblijven. Toch moet hij een brok in zijn keel wegslikken als hij de bruidegom luid en duidelijk 'ja, ik wil' hoort antwoorden op de vraag van meneer pastoor of hij Maartje Bieshof tot zijn wettige huisvrouw wil nemen. En weer welt er jaloezie in hem op. Hij had daar zelf kunnen zitten als hij tegen alle regels en gewoonten van de boerenstand in dat lieve bruidje als zijn 'wettige huisvrouw' gekozen had, maar hij was er te slap voor. Het luxe leventje van rijke boer was hem liever, maar wat is zijn voorland? Het zal niet zo lang meer duren of hij zit, net als Siem, ook op het altaar en de pastoor zal hem dan dezelfde vraag stellen en hij zal die vraag bevestigend beantwoorden. Dat betekent dan dat hij door het huwelijk verbonden zal zijn met Corrie Terlinge, een ziekelijk vrouwtje waar hij niet van houdt, maar die de positie van Madezicht met een bom duiten versterkt. Hij is blij als de plechtigheid afgelopen is. Die middag zal hij wel even naar het huis van Teun Bieshof gaan om het bruidspaar te feliciteren en een cadeau te overhandigen.

Vooral voor de jongere kinderen in het gezin van Teun en Dora Bieshof is het feest. In de kerk hebben ze zich een beetje zitten vervelen, maar eenmaal thuis genieten ze met volle teugen van de bruidssuikers en de zoete chocolademelk. De volwassen bruiloftsgasten schakelen van de koffie vlug over op de borrel, want die krijgen ze niet iedere dag. Het is wel dringen in het kleine huisje, maar Teun lacht dat er veel makke schapen in een hok gaan. Hij is trots op zijn mooie dochter en hij vindt het fijn voor haar dat zij zo'n flinke kerel als man gekregen heeft.
Allemaal hebben ze een cadeautje voor het bruidspaar. Veelal kleine dingetjes, maar ze zijn goed bedoeld en dat telt. Eén cadeau springt eruit. Dora heeft er lang voor gespaard en, na weer een naaiopdracht afgewerkt te hebben, een deel van de opbrengst opzij gelegd. Kort voor de trouwpartij was het bedrag toereikend om het huwelijksgeschenk te kopen en nu mag Maartje de grote doos uitpakken. Ze is tot schreiens bewogen als er een nieuwe naaimachine uit de doos komt.

'Als Siem nog eens zonder werk komt, kun je er genoeg geld mee verdienen om je huishouden draaiende te houden,' meent tante Dora en zij weet waar ze over praat. Niet voor niets heeft ze Maartje gestimuleerd door het lesgeld en de stoffen te betalen voor haar naaicursus. Nu plukt die er de vruchten van en met zo'n nieuwe naaimachine gaat alles nog veel vlugger en gemakkelijker. Maartje is er dolblij mee en ze laat dat blijken ook. 'Nu ik deze mooie machine heb zal ik me zeker niet meer hoeven te vervelen,' zegt ze stralend.

Als Maartje in de eerste weken na haar trouwdag steeds weer merkt dat ze in haar kleine huisje alles vlug aan kant heeft, moet ze terugdenken aan haar eigen woorden dat ze zich met de nieuwe naaimachine niet meer hoeft te vervelen. Van tante Dora begrijpt ze dat die het in haar huishouden zó druk heeft dat ze naaiopdrachten moet afwijzen.
'Kan ik niet wat van je overnemen, tante Dora?' vraagt ze op een dag en daar gaat haar tante meteen mee akkoord.
'Natuurlijk, meissie! Dom dat ik daar niet eerder aan gedacht heb.' Ze pakt een schrift waarin ze de adressen van haar vaste klanten met de voor hen verrichte opdrachten genoteerd heeft, en geeft Maartje een briefje mee voor een aantal van die adressen. In het briefje staat dat zij instaat voor de vakbekwaamheid van Maartje Boekhoven en haar daarom aanbeveelt. En die aanbeveling levert Maartje de komende tijd heel wat opdrachten op. Naast de weekhuur van Siem verdient zij zodoende ook een aardig centje, waardoor hun spaarpot gestadig groeit. Toch heeft ze nog wel wat tijd over en dus wipt ze af en toe even bij tante Dora aan en helpt haar zo goed zij kan en die hulp komt altijd gelegen; ze vinden het beiden nog gezellig ook. De hechte band tussen Maartje en haar stiefmoeder wordt met de dag steviger.

Als schoolmeisje ging Maartje iedere ochtend melk halen op Madezicht. Ze heeft er fijne herinneringen aan en niet in de laatste plaats omdat ze er haar vriendje Henk Cromhout ontmoette. Zij en Henk zijn inmiddels tien jaar ouder en weer ontmoeten ze elkaar iedere morgen als zij met haar kan in het achterhuis van de

hoeve staat. Henk weet het steeds zo te plooien dat hij haar persoonlijk van melk kan voorzien. Door hun dagelijkse contacten hebben ze elkaar niet veel nieuws meer te vertellen, maar als er een officiële aankondiging komt van zijn huwelijk met Corrie Terlinge, hebben ze het daar samen toch even over. 'Ja, ik zal er ook aan moeten geloven, Maartje,' zegt Henk en hij kijkt haar met zó'n ongelukkige blik aan, dat ze even haar hand op zijn arm legt. 'Is het zo'n opgave, jongen?' vraagt ze zacht. Ze heeft echt met hem te doen, want ze weet dat hij niets om Corrie geeft.
'Het is mijn eigen schuld, Maartje.' Haar gebaar en medelijdende blik ontroeren hem. Hij drukt haar even tegen zich aan en fluistert in haar oor: 'Ik had tegen alles en iedereen in moeten gaan en met jou moeten trouwen, maar daarvoor is het nu te laat. Maar ik hou alleen van jou, lieveling.' Hij wendt zijn hoofd af, maar zij ziet nog net dat zijn ogen vochtig worden. Zelf krijgt ze er ook een kleur van en stamelt dat hij niet zo gek moet doen. 'Ik had Siem nooit moeten aanraden hier te solliciteren,' steunt ze.
'Misschien heb je gelijk, Maartje. Ik benijd Siem, maar ik zal hem met mijn liefde voor jou niet lastigvallen, hoor! Hij is een prima knecht en eigenlijk ook een beste kameraad. Ik benijd hem wel, maar als ik iemand een lieve vrouw als jou gun, dan is hij het wel.'
De laatste woorden van Henk spelen nog door haar hoofd als Maartje die avond in de bedstee achter de brede rug van de slapende Siem wakker ligt. Henk benijdt Siem maar hij gunt hem wel een lieve vrouw als zij. Is zij echt een lieve vrouw voor Siem? Kun je een vrouw die met haar gedachten vaak bij een andere man is, wel lief noemen? Zij weet het zo langzamerhand niet meer. Siem kent ze bijna drie jaar, maar Henk kent ze haar hele leven al. Voor het eerst tijdens haar schooljaren begon ze zich, evenals veel schoolmeisjes trouwens, sterk tot hem aangetrokken te voelen. Tot haar verbazing was dat wederzijds. Zij was maar een 'spillebeentje', zoals Henk het noemde en hij was de vlotte zoon van de grote boer Gerrit Cromhout. Als de dag van gisteren herinnert zij zich de ritjes op zijn paard en zijn bezorgdheid om haar toen ze zich bezeerde aan een laaghangende tak. Gedurende de eerste jaren waarin ze in Adedorp werkte heeft ze hem een tijdje uit het

oog verloren, maar later ontmoetten ze elkaar weer in het dorpshuis en toen kreeg ze vlinders in haar buik. ‘Ik hou alleen van jou, lieveling,’ zei hij vanmorgen. Zij gelooft hem, want zo vurig als Henk vaak van zijn liefde blijk gaf, doet Siem het nooit en toch weet ze zeker dat ook hij van haar houdt. Maar wel op zijn kalme en bijna saaie manier. Hartstochtelijk is hij nooit en romantisch al helemaal niet.

Ze weet van zichzelf dat ze er goed uitziet. Ze hoeft alleen maar de blikken van de jonge kerels te volgen, maar Siem zal er nooit iets van zeggen. De woordjes ‘lieveling’ en ‘schatje’ zal hij nooit in de mond nemen. Een enkele keer noemt hij haar ‘mop’, maar dan moet hij wel in een frivole bui zijn. Maar terwijl ze zo ligt te denken, realiseert ze zich toch wel dat ze van hem niet hetzelfde moet verwachten als ze van Henk gewend was. Hij zit anders in elkaar, maar hij is er zeker niet minder om. ‘Een lieve man’ noemde Trui Briele hem en dat is-ie ook. Met die constatering valt ze eindelijk in slaap, maar lang is die rust haar niet gegund, want een boerenknecht moet ’s morgens vroeg uit de veren en om zich niet te verslapen is daar steeds weer de genadeloos ratelende wekker en breekt de nieuwe dag al weer aan.

En zo gaat het elke dag weer. Vroeg opstaan, ontbijten, melk halen, een praatje met Henk maken en na wat huishoudelijk werk achter de naaimachine kruipen. Geen hoogte- of dieptepunten. Siem kauwt geduldig het brood dat zij voor hem belegt en de aardappelen die ze voor hem kookt. Onderbroken door de koffie werkt hij dan ’s avonds in zijn tuin tot het tijd is om pap te eten en samen het avondgebed te bidden. Na een korte knuffel gaan ze slapen. In het dagelijkse levenspatroon van de dorpeling vormen zij geen uitzondering. Het is dan ook niet verwonderlijk dat elke gebeurtenis die ook maar een beetje afwijkt van dit dagelijkse patroon de belangstelling van mensen heeft. Zo’n afwijkende gebeurtenis is de trouwerij van Henk Cromhout met Corrie Terlinge.

Als eerste knecht op Madezicht is Siem de aangewezen man om de bruidegom in diens kapwagen naar de hoeve van zijn bruid te rijden. Het wordt tijd dat de hoeve een nieuwe boerin krijgt, want Hes Cromhout heeft zich teruggetrokken. Iedereen weet dat

Corrie niet erg sterk is en dus het werk grotendeels aan het personeel zal moeten overlaten. Toch komt haar, door haar afkomst en status, het recht toe boerin op een grote hoeve als Madezicht te worden.
Als Siem, met Henk in de wagen, ook Corrie heeft opgehaald, gaat het richting kerk en daar mogen zij zich verheugen in een grote belangstelling. Was de kerk bij het huwelijk tussen Maartje en Siem slechts voor een kwart gevuld, nu blijft er geen plaats onbezet. Vreemd is dat niet, want als twee kinderen van rijke boeren elkaar het jawoord geven, wil iedereen daar getuige van zijn. Vooraf hebben de belangstellenden zich op het kerkplein verzameld en is het bruidspaar nog eens uitvoerig besproken. De meningen zijn verdeeld. De gewone man vindt het broze poppetje Corrie Terlinge niet passen bij de forse en knappe Henk Cromhout. De rijke boeren vinden dat allemaal bijzaak; de centen zitten goed en daar gaat het tenslotte om.
Maar er is nog een derde categorie die een mening heeft over dit huwelijk en daartoe behoren de jonge meisjes. Enkelen pinken een traantje weg, want Henk wijkt in vele opzichten van de doorsnee dorpsjongen af. Hij is goedlachs, geeft meisjes complimentjes en is bovendien een goed minnaar. Daar weet Maartje, die met haar vriendinnen in de kerk zit, van mee te praten. Zij is ronduit jaloers op Corrie, zeker nu ze weet dat Henk eigenlijk van haar houdt en liever met haar getrouwd zou zijn. Siem, die afkomstig is van een ander dorp, weet van dit alles niets af. Niets van de voorliefde van de dorpsmeisjes voor zijn baas en ook niets van de liefdesavontuurtjes die zijn eigen vrouw met de bruidegom gehad heeft. Hij bemoeit zich ook nauwelijks met leeftijdgenoten in het dorp. Zijn contact met de dorpelingen gaat niet veel verder dan het huis van zijn schoonvader.
Maartje kijkt naar de gebeurtenissen op het altaar en hoort het bruidspaar bevestigend antwoorden op de vraag van meneer pastoor of ze elkaar tot man en vrouw nemen. Haar eigen trouwdag ligt haar nog vers in het geheugen en ze weet dus precies wat de twee op het altaar die dag beleven. De gevoelens van Corrie kent ze niet, maar het is een gekoppeld huwelijk en dus zal er van liefde geen sprake zijn. Ze kent Corrie al vanaf de eer-

ste klas van de lagere school en ze herinnert zich dat het altijd al een wat ziekelijk meisje geweest is. Maar ook als ze zich goed voelde taalde ze nooit naar Henk. Met haar was dat wel anders. Jammer toch dat geld en status spontane liefde zo vaak in de weg staan.

Na de huwelijksmis is er een receptie in de grote zaal achter Het Tappunt. Velen grijpen de gelegenheid aan het bruidspaar persoonlijk geluk te gaan wensen. 'Je kunt wel zien waar de centen zitten,' wordt er gefluisterd, want het blijkt dat kosten noch moeite gespaard zijn om de receptiegangers op een royale manier te ontvangen. Eerst stellen de mensen zich in een rij op om het bruidspaar de hand te schudden. Ze moeten wel geduld hebben, want het is een lange rij en de meesten laten het niet bij een handje, maar knopen er ook een gesprekje aan vast. Maartje staat halverwege de rij en ze ziet dat degenen die al gefeliciteerd hebben, worden onthaald op koffie met gebak. De zaal is ook rijkelijk versierd met slingers en bloemen. Het ziet er allemaal heel feestelijk uit en je zou verwachten een stralend bruidspaar aan te treffen, maar niets is minder waar. De bruid ziet er vermoeid en bleek uit en de bruidegom kijkt ook al niet vrolijk. De mensen hebben het niet zo in de gaten en hebben meer oog voor de feestelijke aanblik van de zaal en de rijkelijk uitgedoste familie van het kersverse echtpaar. De status van de vrouwelijke familieleden is te zien aan de kostbare sieraden die zij dragen.
'Van harte gefeliciteerd, Henk,' zegt Maartje als ze eindelijk tot het bruidspaar doorgedrongen is.
'Dat je er maar lang getuige van mag zijn, Maartje,' reageert Henk met een wrange glimlach en Corrie sluit zich daarbij aan als Maartje ook haar gelukwenst. Ze loopt maar meteen door, want ze weet niet wat ze in deze situatie nog moet zeggen. De gelukwens zelf klinkt uit haar mond al als een rare gemeenplaats, want ze weet dat er van geluk nauwelijks sprake zal zijn. Ze gaat gauw bij haar vriendinnen zitten en luistert met gemengde gevoelens naar hun commentaar. Eens te meer komt ze tot de conclusie dat Henk voor anderen zijn ware gevoelens goed kan verbergen.

De zondag na de trouwpartij is het weer eens tijd voor familiebezoek. Vooral Siem houdt daar strikt de hand aan. De ene keer naar zijn ouders en de volgende keer naar het drukke gezin van zijn schoonvader en tante Dora, zoals Maartje haar stiefmoeder altijd is blijven noemen. Siem heeft die gewoonte van haar overgenomen en hij komt er graag en hij is er ook altijd meer dan welkom. Vooral de kleintjes hangen aan hem. Dat is niet zo verwonderlijk, want hij stoeit graag met ze en daar houden kinderen nou eenmaal van. Tante Dora moet hem soms wat afremmen, maar voor de kleintjes kan het niet wild genoeg zijn.
Natuurlijk wordt er tijdens de koffie nog nagepraat over de trouwerij van Henk en Corrie.
'Heeft de nieuwe boerin zich al flink laten gelden, Siem?' vraagt Teun, maar op die vraag kan Siem geen duidelijk antwoord geven.
'Ik weet niet wat jij daaronder verstaat, vader, maar ik merk eerlijk gezegd niet zoveel van haar. De moeder van Henk, dat was een echte boerin, maar Corrie houdt zich een beetje bedeesd op de achtergrond. Nu heb ik meer te maken met de oude meid Dien Beuvink dan met Corrie.'
'Vind je het jammer dat de oude boerin vertrokken is?'
'Eerlijk gezegd wel, want zij was niet alleen een goede boerin, maar ook een hartelijk mens. Het zal voor Corrie niet meevallen haar plaats over te nemen.' Helaas voor Corrie blijkt Siem de plank niet ver mis te slaan.

HOOFDSTUK 5

'Dien wil je even spreken, Maartje, en ik vind dat je maar akkoord moet gaan met haar verzoek.' Henk Cromhout kijkt haar glimlachend aan als zij, zoals gewoonlijk, 's morgens melk komt halen op Madezicht.
'Wat wil Dien dan van me?'
'Loop maar even door, dan zal ze je dat zelf wel vertellen.'
'Maar als jij vindt dat ik met haar verzoek akkoord moet gaan, dan weet jij dus wat zij me wil vragen. Waarom vraag jij het me zelf dan niet?'
'Omdat het vrouwenzaken zijn, meissie.'
'O, nou, dan loop ik maar even door.' Wat de oude meid, Dien Beuvink, haar te vragen heeft weet ze niet en nog minder waarom Henk vindt dat zij ermee akkoord moet gaan. Enfin, ze zal het zo wel horen. 'Ik hoorde van Henk dat je me spreken wilt, Dien,' zegt ze zodra ze de meid gevonden heeft.
'Dat klopt, Maartje, fijn dat je even binnengekomen bent.' Dien droogt haar rode werkhanden af aan haar schort en gaat aan de tafel in de grote keuken zitten. 'Kom er even bij zitten, dat praat wat makkelijker.' Waarom dat makkelijker praat is Maartje niet zo duidelijk, maar dat blijkt algauw als Dien zegt dat ze 's morgens vroeg al moe is van het vele werk. Al vele jaren wijdt ze haar beste krachten aan Madezicht en ze heeft de kinderen, waaronder Henk, zien opgroeien. Verdrietig was ze toen de oude knecht Kobus Briele, waarmee ze bijna gelijktijdig in dienst kwam, overleed. Maartje kent haar ook al vanaf de eerste dag waarop ze op de hoeve kwam. 'Een meubelstuk' noemt Henk haar weleens oneerbiedig, maar zeg geen kwaad woord van Dien, want dan heb je het bij Henk verbruid.
'Henk vindt dat ik met je verzoek akkoord moet gaan, maar ik weet echt niet wat je me te vragen hebt, Dien,' reageert ze op het uitnodigende gebaar van de oude meid.
'Ja, Henk houdt van gezelligheid en ik heb allang in de gaten dat hij speciaal van jouw gezelschap houdt,' glimlacht ze. 'Maar laat ik je eerst vertellen wat ik op mijn lever heb. Toen Henk met Corrie trouwde, is de oude boerin vertrokken en sindsdien sta ik

er vaak alleen voor, want die arme Corrie voelt zich dikwijls te beroerd om flink aan te pakken. Ze doet haar best, hoor, maar het arme kind heeft nou eenmaal een zwak gestel.'
'En wat wil je dan van mij, Dien?'
'Dat je af en toe even bijspringt. Ik neem tenminste aan dat je wel wat tijd over hebt in je kleine huishouden.'
'Toch niet echt, Dien. Je hebt gelijk dat ik de boel doorgaans snel aan kant heb, maar ik heb de laatste tijd veel naaiwerk en dat levert me een welkome verdienste op.'
'Dat heb ik gehoord, maar hier hoef je het natuurlijk ook niet voor niets te doen. Corrie geeft me de vrije hand jouw verdiensten te regelen en ik zal je echt niet tekortdoen.'
'Ik zal er met Siem over praten, Dien, want ik wil zo'n beslissing niet in mijn eentje nemen.' Ze is niet bang dat Siem er bezwaar tegen zal maken, maar zelf wil ze ook wel wat tijd om erover na te denken. Bij de slager in Adedorp moest ze er ook stevig tegenaan, maar het werk op een boerderij is nog wel wat zwaarder. Naaiwerk is inspannend, maar echt moe word je er niet van.

'Dien Beuvink heeft gevraagd of ik af en toe bij kan springen, Siem. Wat vind jij daarvan?'
'Belangrijker is wat jij er zelf van vindt, Maartje. Dat Dien hulp vraagt kan ik me goed voorstellen, want als ik het werk van Corrie vergelijk met hetgeen de oude boerin deed, dan komt er nu veel op de nek van de oude meid terecht.'
'Ja, wat vind ik er zelf van?' Maartje haalt haar schouders op. 'Als ik het doe, dan doe ik het in de eerste plaats om Dien en Corrie te helpen, want met naaien kan ik net zoveel verdienen en het is nog lichter werk ook.'
'Mij lijkt het dat je met Dien moet afspreken dat je het voor een halfjaar wilt doen en als Corrie dan nog steeds zo zwak is, dat ze dan een tweede meid aannemen. Geld heeft Henk Cromhout genoeg.' Het is wel duidelijk dat Siem de kool en de geit wil sparen.
'Dat is een goed idee, Siem.' Maartje was er zelf niet opgekomen, maar het voorstel van haar man vindt ze heel praktisch. Met die

boodschap gaat ze naar Dien, maar die kijkt een beetje bedenkelijk.
'Het is zo pijnlijk voor Corrie om een vaste tweede meid aan te nemen, Maartje.'
'Hoezo pijnlijk?'
'Omdat ze zich dan helemaal een nietsnut voelt. Als ze zich goed voelt kunnen wij het werk samen wel aan en dan is zo'n vaste meid eigenlijk het vijfde wiel aan de wagen. Jou kan ik vragen me te helpen als dat nodig is. Snap je?'
'Ja, ik begrijp het wel, maar ik wilde me niet voor lange tijd binden. Laten we het maar proberen, dan zie ik wel hoe het loopt. Hoe is het nu met Corrie?'
'Het houdt niet over. Vanmorgen is ze een poos op geweest en heeft ze ook gewerkt, maar nu moet ze weer een paar uurtjes rusten.' Dien moet ervan zuchten en Maartje besluit dan meteen maar aan de slag te gaan.
'Zo te zien ben je met het voorstel van Dien akkoord gegaan,' zegt Henk als hij die morgen koffie komt drinken en Maartje aan het werk ziet.
'Voorlopig wel, en Dien en ik zullen dan beiden wel zien hoe het loopt.' Ze houdt nog maar een slag om haar arm, maar Henk is tevreden. Hij heeft het meisje waar hij onveranderd zielsveel van houdt, wat vaker om zich heen en dat bevalt hem wel. Met Corrie is hij getrouwd, maar met zijn hart is hij bij Maartje. Als zij met opgestroopte mouwen en een gezonde blos op haar wangen aan het werk is, vergelijkt hij haar met een prachtige bloem. Daarbij vergeleken is Corrie een teer bloemetje. Als je het wilt plukken breekt het steeltje.
Aan die vergelijking moet hij weken later denken. Het is een mooie aprildag en hij leunt even op het hek dat de afscheiding vormt tussen het erf en de boomgaard. De winter heeft zijn dorre kleed afgeschud en de bomen en struiken lopen uit. De bodem is weer bedekt met een groen tapijt waarin de vele soorten voorjaarsbloemen een kleurrijk contrast vormen. Er staat weinig wind en als hij Dien Beuvink met een mand aan haar arm in de laan ziet lopen om in het dorp boodschappen te gaan doen, vraagt hij haar een zakje sigaren voor hem mee te brengen. In huis rookt hij niet,

want Corrie krijgt het er benauwd van. Ze is de laatste tijd weer slechter en ook nu ligt ze weer in bed.
En dan komt Maartje het erf op. Het is dinsdagochtend en het is inmiddels gewoonte geworden om op die ochtend te komen helpen. Dien doet dan boodschappen en zij zorgt zonodig voor de boerin. Op andere dagen helpt ze als Dien haar nodig heeft.
Henk staat in gedachten verzonken en heeft haar niet in de gaten.
'Goeiemorgen, Henk,' groet ze. 'Sta je te prakkiseren hoe je kindskinderen aan de kost moeten komen?' Het is een oud grapje en Henk moet er dan ook om lachen.
'Dan moeten er eerst kinderen komen en daar ziet het niet naar uit, Maartje.'
'Wat niet is kan nog komen, Henk.'
'Bij mij en Corrie niet, hoor! Ik stond net te kijken naar de ontluikende natuur. De hele natuur is bezig met het zekerstellen van het nageslacht, maar hier gaat dat niet zo vlot.'
'Niet zo somber, jongen; zo lang ben je nog niet getrouwd, maar genoeg gepraat; er moet gewerkt worden.' Ze loopt naar binnen en Henk volgt haar op de voet en hij kan het dan niet nalaten een beetje met haar te stoeien. 'Laat dat, Henk, straks ziet Siem het nog,' waarschuwt ze, maar Henk schudt zijn hoofd.
'Dat kan niet, want die is achter in de polder bezig. Dien is boodschappen gaan doen en Corrie ligt in bed. We zijn alleen, Maartje.' Hij kijkt haar met zo'n innige blik aan dat ze hem verward wegduwt, maar hij slaat een arm om haar heen en bedelt om een zoentje.
'Nou, eentje dan, rare!' Ze krijgt een kleur en geeft hem een vluchtig kusje, maar dat vindt Henk geen echte zoen.
'Kus me nog eens als vroeger, lieverd.' Hij pakt haar gezicht in zijn beide handen en dan kan ook zij de verleiding niet weerstaan en sluiten hun monden op elkaar in een lange en innige kus.
'Dit mag niet, hoor Henk!' Het klinkt niet erg overtuigend en Henk laat haar dan ook niet los. Integendeel, hij leidt haar zachtjes naar de grote sofa in de kamer en trekt haar op zijn knie. 'Dit is echte liefde, schatje,' zegt hij en als hij zijn mond dan weer op de hare drukt, kust ze hem vol overgave. Haar verstand verzet zich tegen de ontrouw, maar haar hele lijf schreeuwt om deze

hartstochtelijke vrijpartij. Ze verzet zich ook niet als Henk verder gaat en dan gebeurt wat echt niet mag, maar waaraan geen van beiden weerstand kan bieden.

Achter de brede rug van de slapende Siem ligt Maartje die avond met open ogen in de duisternis te staren. Slapen kan ze niet, want ze is nog helemaal vol van hetgeen er die ochtend gebeurd is. Ze vindt het heel slecht van zichzelf het met Henk gedaan te hebben en zodoende zowel Siem als Corrie te hebben bedrogen. Toch weet ze zeker dat ze weer zal toegeven als Henk haar benadert. Het was heerlijk! Heel anders dan de rechttoe rechtaan vrijerij van Siem. Die is fantasieloos, maar met Henk is het een feest. Zijn innige kussen branden haar nog op de lippen. Ze wilde er eerst niet aan toegeven, maar hij was weer zo lief. En de innige gemeenschap die ze daarna met elkaar hadden was bijna een vanzelfsprekend vervolg op hun hartstochtelijke liefkozingen. Iedere vezel in haar lijf verlangde naar de man die ze liefgehad heeft vanaf het moment waarop de vrouwelijke gevoelens in haar ontwaakten. Siem is een lieve man en ze weet zeker dat hij haar nooit met een andere vrouw zou bedriegen. Zij hem wel met een andere man, maar niet de eerste de beste. Met Henk had ze willen trouwen als dat domme geld en standsverschil nooit hadden bestaan en voor Henk is het al niet anders. In zo'n situatie is het toch niet zo gek dat ze naar elkaar blijven verlangen, ook al zijn ze beiden getrouwd. Geen van beiden echt uit liefde. Hij om geld en status en zij omdat Siem na Henk de meest acceptabele man was en is. Ze neemt zich voor situaties waarin zij alleen is met Henk zoveel mogelijk te vermijden, maar een week later is het weer raak. Wel maant zij Henk tot voorzichtigheid, maar in het vuur van het minnekozen denkt geen van beiden daaraan.

's Morgens misselijk en overgeven. Voor Maartje zijn het de bekende verschijnselen die bij zwangerschap horen. Maar voordat ze Siem er iets over vertelt wil ze zekerheid en dus gaat ze naar dokter Kronestijn en die bevestigt haar dat ze in verwachting is. Ze weet eigenlijk niet of ze blij of bezorgd moet zijn, want een nare bijkomstigheid is dat ze niet weet van wie ze in verwachting

is. Toch kan ze Siem het grote nieuws niet onthouden.
'Ik ben vanmorgen bij dokter Kronestijn geweest, Siem,' zegt ze als haar man die middag aan tafel schuift.
'Bij de dokter?' Siem trekt rimpels in zijn voorhoofd en kijkt haar met een bezorgde blik aan. 'Daar wist ik niks van; ben je ziek?'
'Het is een gezonde ziekte, Siem; ik ben in verwachting.'
'Eerlijk waar?' Hij krijgt een blijde glans in zijn ogen, staat op, slaat zijn armen om haar heen en kust haar op beide wangen.
'Ja, echt waar, jongen.' Maartje moet een brok in haar keel wegslikken, want aan zijn manier van doen merkt ze dat Siem echt blij is. Zo'n spontane en innige reactie is ze van hem niet gewend. Ze hoopt maar dat hij ook zo blij zal zijn als het kindje er eenmaal is, want stel dat het als twee druppels water op Henk lijkt. Maar op dit moment heeft Siem geen enkele reden om zich zorgen te maken, want hij kent het verleden van Maartje en Henk niet en vermoedt zeker niet dat de twee nog steeds zó gek op elkaar zijn dat dat tot hun innige gemeenschap kon leiden.

In plaats van uitbundig vrolijk te zijn omdat ze van haar eerste kindje in verwachting is, is Maartje nogal somber en dat zorgelijke gezicht van zijn vrouw valt Siem op.
'Komt het wel vaker voor dat vrouwen bij het begin van hun zwangerschap in de put zitten, moe?' vraagt hij zijn moeder als ze die zondag in het gezin Boekhoven op visite zijn. Siem wilde niet langer wachten met het grote nieuws dat hij binnen afzienbare tijd vader wordt, maar hij wil er ook wel even met zijn moeder over praten. Zij heeft tenslotte ervaring met zwangerschappen en hij niet.
'Daar is mij niks van bekend, jongen,' reageert Trui Boekhoven op de vraag van haar zoon. 'Na de zwangerschap hebben vrouwen weleens problemen, maar voor zover ik weet nooit ervoor, tenzij het een 'motje' is, dan uiteraard wel.'
'O, eigenaardig.'
'Is er iets met Maartje dat je me die vraag stelt?'
'Nee, niks ernstigs, maar het valt me op dat ze niet echt blij is en zo zorgelijk kijkt.'
'Niet te veel op letten, jongen. Ze zal nog wat last hebben van

misselijkheid, maar dat gaat vanzelf over.' Trui moet een beetje glimlachen om het ernstige gezicht van haar oudste. Ze kan zich goed herinneren dat ze van hem in verwachting was en dat zij en haar man dolblij waren toen hij geboren werd. Dat is inmiddels ruim twintig jaar geleden en nu wordt dat kleine jongetje van toen zelf al vader en zij opoe. Wat gaat de tijd toch snel!

'Waarover zat jij zo fluisterend met je moeder te praten, Siem?' vraagt Maartje als ze weer thuis zijn. Sinds ze weet dat ze in verwachting is, vreest ze dat haar innige contacten met Henk Cromhout uitkomen. Ze maakt zich daar zorgen om en ze is ook op haar hoede. Zo'n fluisterend gesprek tussen Siem en diens moeder wekt haar argwaan.
'Waarschijnlijk maak ik me druk om niks, Maartje, maar jouw zorgelijke gezicht van de laatste tijd bevalt me niet en daarover vroeg ik de mening van mijn moeder. Ik vroeg haar of dat normaal is bij vrouwen die net zwanger zijn en moe zei van niet.'
'O!' Maartje krijgt een kleur, want ze weet niet dat haar zorgelijke houding Siem opgevallen is.
'Schrik je van mijn verhaal?'
'Een beetje wel, want ik schaam me dat ik nu al tegen de bevalling opzie.' Ze verzint maar iets zonder er echt bij na te denken. Dat laatste doet Siem wel en hij knikt begrijpend.
'Daar hoef jij je niet voor te schamen, hoor! Je eigen moeder is in het kraambed gestorven en ik kan me best indenken dat jij tegen de bevalling opziet. Maar wat met jouw moeder gebeurd is, hoeft jou nog niet te overkomen. Maak je daar nou maar niet druk om.' Siem doet zijn best zijn vrouwtje gerust te stellen en die zorgzaamheid doet Maartje pijn. De gedachten aan Henk overheersten en aan de kraamvrouwenkoorts van haar moeder heeft ze helemaal niet gedacht. Toch is ze opgelucht dat er geen enkel verband gelegd is met haar ontrouw, maar het neemt haar angst dat dat wel gebeurt als de kleine er eenmaal is, niet helemaal weg. Aan Siem laat ze niets meer merken, maar ondanks dat blijft hij haar met zijn goede zorgen omringen. Hij ontziet haar zelfs meer dan nodig is. Het ontroert haar en langzamerhand krijgt ze spijt van haar misstappen. Siem heeft het niet verdiend een vrouw te hebben die

hem ontrouw is, maar het kwaad is geschied en zij kan het niet ongedaan maken. Tot welke consequenties dat nog zal leiden kan ze alleen maar raden. De tijd zal het leren.

Als Maartje in de zesde maand voor het eerst leven voelt, beseft ze pas ten volle dat er echt een levend kindje in haar groeit. Ze weet van tante Dora dat die bij haar eerste zwangerschap op dat moment de hand van vader Teun greep en die op haar buik hield. Dolblij was ze. Zelf doet ze het niet. Ze grijpt de hand van Siem niet en ze weet ook wel waarom niet. Hem blij maken met de bewegingen van het kind van een ander is oneerlijk en dat wil ze niet nog een keer zijn. Siem zelf volgt de ontwikkelingen trouwens op de voet en hij heeft erop gestaan dat vroedvrouw Jans Streefkerk ruim vóór de geboorte de vermoedelijke geboortedatum zou noteren. Hij wil niets aan het toeval overlaten. Hoe kalm hij doorgaans ook is, naarmate de geboorte nadert wordt hij steeds nerveuzer.
Met één sprong is hij uit bed als Maartje hem duidelijk maakt dat de bevalling aanstaande is. ‘Haal Jans maar, Siem,’ zegt ze en daar wacht Siem geen minuut mee. Hij gunt zich nauwelijks de tijd zijn broek dicht te knopen. Maar als hij, bezweet van het harde fietsen, bij de vroedvrouw aankomt, wacht hem een teleurstelling. Hij hoort dat Jans eerder die nacht weggeroepen is voor een bevalling op De Kooi, de hoeve van de rijke boer Jan Gerlings. Later zal hij vernemen dat daar een dochtertje met de naam Lenie geboren is. Hij spoedt zich dus naar het huis van zijn schoonvader en haalt tante Dora uit haar bed.
‘Ik ga meteen naar Maartje toe, Siem, maar rijd jij door naar de dokter, want zonder vroedvrouw en zonder arts durf ik de bevalling niet aan.’
‘Tot zo meteen.’ Siem springt weer op zijn fiets en rijdt vlug naar dokter Kronestijn, maar of de duvel ermee speelt is de dokter toevallig weggeroepen voor een sterfgeval.
‘Ik zal mijn man meteen sturen als hij terug is,’ belooft de doktersvrouw.
‘Denkt u dat dat nog lang duurt?’ vraagt Siem zenuwachtig. Hij raakt aardig overstuur door alle tegenvallers, maar gelukkig

schudt mevrouw Kronestijn haar hoofd en zegt dat ze haar man algauw terug verwacht.
Tante Dora is intussen bij Maartje aangekomen en tot haar schrik ziet ze dat die al ontsluiting heeft. Ze is een ervaren baker, maar een bevalling heeft ze nog nooit in haar eentje gedaan en ze hoopt dus maar dat de dokter gauw komt.
'Heeft de dokter beloofd gauw te zullen komen?' vraagt ze gejaagd als ze Siem ziet verschijnen, maar tot haar ontsteltenis schudt Siem zijn hoofd en vertelt wat hij van de doktersvrouw vernomen heeft.
'Dan moeten we het voorlopig samen zien te redden, jongen,' zegt ze gelaten. 'Laat Maartje er niks van merken, want dan wordt ze alleen nog maar zenuwachtiger. Zet jij maar een ketel water op het fornuis.'
'De dokter komt zo, hoor!' stelt ze Maartje gerust nadat ze haar heeft uitgelegd waarom zij en niet Jans Streefkerk gekomen is. 'Blijf maar rustig diep ademhalen en niet te veel persen,' raadt ze de kraamvrouw, maar weeën laten zich niet terugdringen en ze komen nu vlot achter elkaar. Dan wordt het tante Dora duidelijk dat de geboorte niet langer tegen te houden is en even later slaakt ze een zucht van verlichting als ze met een krijsend jongetje in haar handen staat. Ze is blij dat het tot nu toe goed gegaan is, maar echt opgelucht is ze als dokter Kronestijn arriveert. Hij kent tante Dora goed en prijst haar uitbundig, maar Dora wijst naar Maartje en zegt dat zij complimenten verdient.
Voor de dokter is er weinig meer te doen. Hij onderzoekt vluchtig de kleine en hij kijkt ook even naar de kraamvrouw en dan knikt-ie. 'Alles is goed; het is een mooi jongetje,' stelt hij tevreden vast en tot Siem: 'Gefeliciteerd met je zoon, Boekhoven. Hoe gaat de nieuwe wereldburger heten?'
'Teun, Dokter. Wij vernoemen hem naar de vader van mijn vrouw.'
Met nog enkele vriendelijke woorden aan het adres van de kraamvrouw verlaat de dokter vlug het kleine huisje om te trachten thuis nog iets van de verloren nachtrust in te halen. Een geboorte en een sterfgeval in één nacht. Het is bizar!
Als tante Dora haar en de kleine verzorgd heeft, mag Maartje

Teuntje zelf even in haar armen houden. Het eerste wat haar opvalt is het donkere koppie van het ventje. Zij en Siem zijn blond en Henk is donker, dus dat geeft te denken, maar als ze goed naar het gezichtje van Teuntje kijkt weet ze het zeker: dit is het kind van Henk. Ze schrikt ervan, maar tegelijkertijd geeft het haar een stille vreugde. Ze heeft een kindje van de man die ze echt liefheeft, maar ze rilt als ze aan de consequenties denkt. Laat Siem er in 's hemelsnaam niets van merken, want dat zou hun huwelijk kapot maken en dat wil ze niet. Siem is een echte kameraad en hij zal zeker een goeie vader voor Teuntje zijn.
Ze is wat gerustgesteld als ze zijn opgetogen gezicht ziet. Hij pakt haar hand en zegt: 'Gefeliciteerd met onze mooie zoon, meissie.' Hij neemt ook een handje van Teuntje in zijn grote knuist, schudt zijn hoofd en stamelt: 'Onbegrijpelijk! Helemaal compleet met nageltjes en al; hoe kan het zo groeien.' Maar daar heb jij geen aandeel in gehad zou ze hem eerlijk moeten vertellen, maar ze doet het niet, want ze beseft dat de waarheid nog wreder is dan de leugen.

Tante Dora is er maar wat trots op dat zij bij de bevalling deze keer ook als vroedvrouw gefungeerd heeft. Terwijl een buurvrouw de kleintjes van haar opvangt, blijft zij zelf enkele dagen bakeren bij Maartje en ze zorgt ervoor dat de kraamvrouw haar rust op tijd krijgt.
Een van de eersten die komen kijken is Henk Cromhout. Als hij ziet dat Maartje een kleur krijgt als hij naar Teuntje kijkt, weet ook hij het meteen zeker: hier ligt zijn zoontje. Het kind dat met zoveel liefde verwekt is. Hij glimlacht en kijkt haar met een liefdevolle blik aan. Graag zou hij haar uitbundig willen feliciteren met hun beider zoontje, maar tante Dora scharrelt in de kamer rond en dus moet hij voorzichtig zijn. Wel houdt hij even haar hand vast en tuit zijn mond voor een denkbeeldig zoentje. Liever zou hij haar in zijn armen nemen en haar met innige kusjes feliciteren, maar dat gaat helaas niet en hij heeft ook allang gemerkt dat Maartje afstand wil bewaren. Hij weet wel zeker dat haar liefde voor hem niet dood is, maar zij is verstandig en dat zou hij ook moeten zijn. Hij zou zich eigenlijk moeten schamen zijn eigen

knecht bedrogen te hebben, maar zulke gedachten komen niet in hem op. Nee, schaamte voelt hij niet nu hij een zoon heeft die de liefste vrouw van de wereld hem geschonken heeft. Helaas mag hij dit geluk met niemand delen, zelfs niet met de moeder van zijn eigen kind.
'De kraamvrouw moet gaan rusten, Henk,' onderbreekt tante Dora de mijmeringen van de bezoeker. 'Een mooi jongetje, hè? Hij is niet alleen vernoemd naar zijn grootvader, maar hij heeft ook diens fraaie donkere haardos geërfd,' lacht ze. Henk knikt maar eens, doch hij weet wel beter. Maartje weet ook beter, maar de woorden van tante Dora klinken haar als muziek in de oren. Nu heeft ze haar antwoord klaar als iemand opmerkingen maakt over de donkere haartjes van Teuntje.
Hoewel tante Dora ervoor waakt dat Maartje op tijd haar rust krijgt, kan ze niet voorkomen dat het de eerste dagen na de bevalling een komen en gaan van belangstellenden is. Ook de jongsten uit haar gezin willen het kindje zien en dan schiet Dora in de lach. 'Moet je zien: twee turven hoog en dan al tante.' Ze wijst op haar jongste dochtertje, dat Teuntje even op schoot mag nemen. Ook Maartje heeft er schik in. De vele bezoekers bezorgen haar de nodige afleiding en ze vindt het eigenlijk jammer als de rustperiode voorbij is en zij alleen met Teuntje achterblijft.
'Eindelijk heb ik jou en Teuntje eens even voor mezelf,' lacht Siem als hij die eerste dag 's middags thuiskomt om te eten. 'Lukt het allemaal al of moet ik je ergens mee helpen? Je zegt het maar, hoor! En ga ook de eerste tijd 's middags nog een uurtje rusten. Poetsen en schrobben doe je maar weer als je flink aangesterkt bent.'
'Bedankt voor je aanbod, maar ik red me wel, hoor! Je advies om de eerste tijd 's middags wat te gaan rusten zal ik opvolgen.' Ze schenkt hem haar liefste glimlach, kust hem en bedankt hem nog eens.
'Het zal wel schikken,' reageert Siem. Het is de gebruikelijke gemeenplaats van mensen die zich na een complimentje moeilijk een houding kunnen geven. Het is Siem ten voete uit: bescheiden, bezorgd en vol liefde voor haar.

Ze moet aan de woorden van Siem denken als ze de volgende morgen weer melk gaat halen en Henk ontmoet. 'Gaat het weer een beetje, Maartje?' vraagt hij en als ze knikt zegt hij blij te zijn dat ze weer op de been is. 'Toen ik Teuntje zag wist ik het meteen; het is ons kindje, hè?' Zijn ogen worden vochtig als hij het zegt, maar Maartje schudt haar hoofd. 'Teuntje is het kindje van Siem en mij, Henk.'
'Dat meen je toch niet echt, lieverd?'
'Wat ik wel of niet echt meen doet niet ter zake, Henk. Teuntje is van Siem en mij en daar mag jij niet tussen komen. De donkere haartjes heeft hij van mijn vader. Siem mag geen argwaan krijgen, dus verspreek je alsjeblieft niet. Hij is goed voor mij en hij zal zeker een goede vader voor Teuntje zijn. Het is niet de schuld van Siem dat ik wat minder van hem houd dan hij van mij. Het is een doodgoeie knul en ook een harde werker.'
'Dat laatste ben ik met je eens. Op Siem is niks aan te merken, maar ook ik kan niet helpen dat ik stinkend jaloers op mijn knecht ben.'

HOOFDSTUK 6

In Europa woedt een allesvernietigende oorlog, waarvan het einde nog niet in zicht is. Nederland prijst zich gelukkig buiten het conflict gebleven te zijn, maar de Belgen zijn minder gelukkig. Vluchtelingen uit Vlaanderen stromen ons land binnen en worden zo goed mogelijk opgevangen.
In Brabant kun je op een stille avond het gebulder van de kanonnen aan het front in Belgie horen, maar in het kleine dorp aan de Made merken de mensen niet zoveel van die gruwelijke oorlog. Daar gaat het leven zijn gewone gang. Daar zijn de gebeurtenissen van alledag nog onderwerp van gesprek. Daar kan Maartje Boekhoven zich nog zorgen maken om de oorpijn van Teuntje. Hij is een paar dagen hangerig, maar het is een levenslustig knaapje en als de pijn over is, stapt-ie met zijn korte beentjes alweer over de drempel om naar zijn konijntje te gaan. Voor zijn derde verjaardag heeft hij van boer Cromhout een jong konijntje gekregen en daar is hij gek op. Vader Siem heeft een hok met een echte ruif voor het beestje getimmerd en het is vooral die ruif waar Teuntje belangstelling voor heeft.
'Optillen, moekie!' roept-ie naar zijn moeder, want hij wil 'kijntje', zoals hij hun konijn noemt, wat blaadjes voeren. Met vader Siem mag hij mee als die paardensla in de dijk gaat steken en hij weet uit ondervinding dat 'kijntje' dat een lekkernij vindt. 'Moekie!' roept-ie weer, want hij vindt het maar niks dat zijn moeder zich meer met de was dan met hem bemoeit. Henk Cromhout, die op het erf van de hoeve bezig is, hoort Teuntje roepen en als hij over de heg kijkt ziet hij hem voor het konijnenhok staan.
'Zal ik je even optillen, Teuntje?' vraagt-ie en dan knikt het ventje ijverig. Van de boer heeft hij 'kijntje', die toen nog erg klein was, gekregen en die kan dus geen kwaad meer bij hem doen.
'O, je bent me al te vlug af,' zegt Maartje als ze Henk met de kleine jongen op zijn arm voor het hok ziet staan. Ze weet dat hij erg gesteld is op het ventje en dat kan ook niet anders, want het is zijn eigen zoontje, maar dat is iets wat alleen bij hem en bij haar bekend is. Dat laatste wil ze vooral zo houden en daarom ziet ze

liever niet dat Henk zich al te veel met Teuntje ophoudt. Ze zegt het ook en verwijst naar de afspraak die ze erover gemaakt hebben.
'Ik weet het, Maartje, maar je moet me op dat punt niet te kort houden. Een eigen huwelijksleven heb ik nauwelijks met een ziekelijke vrouw als Corrie en aan kinderen durf ik al helemaal niet te denken.'
'Maar ik heb wel een huwelijksleven en dat wil ik zo houden ook. Ik weet dat je het moeilijk hebt, maar ik weet ook dat het anders had gekund.'
'Dat weet ik ook, meissie; daar hebben we het al zo vaak over gehad en jij weet dat ik spijt heb als haren op mijn hoofd dat ik toen niet, tegen de verdrukking in, voor jou gekozen heb.' Henk zet de kleine jongen neer en slentert moedeloos weg. Ze kijkt hem hoofdschuddend na en heeft met hem te doen, maar ze heeft ook te doen met Corrie. Die doet haar best om een goede boerin te zijn, maar zij heeft ontzettend veel beperkingen. Door haar ziekte moet zij het meeste werk overlaten aan de meid Dien Beuvink, maar die begint haar oude botten ook steeds meer te voelen. Daarom schiet zij haar nogal eens te hulp en Dien zorgt er dan wel voor dat zij er goed voor betaald wordt. Ze houdt Corrie ook vaak gezelschap als die 's middags wat uitrust in haar luie stoel. Corrie vindt dat gezelliger dan eenzaam in de bedstee te rusten.
Kee Gerlings, de boerin van de nabijgelegen hoeve De Kooi, weet dat en dus komt ze nogal eens een kopje thee bij haar drinken en wat praten. Ze brengt dan haar jongste dochtertje Lenie mee, maar die is nogal druk en daar kan Corrie niet goed tegen. Daarom vraagt Kee aan Maartje of haar dochtertje zo lang bij haar mag. Voor Teuntje, die op de dag af even oud is als Lenie, is dat altijd feest. Veel kleine kinderen ziet hij doorgaans niet en dus vermaakt hij zich opperbest als Lenie er is.
Maartje en Kee halen nog weleens de geschiedenis op van de geboorte van hun kindertjes. Vroedvrouw Jans Streefkerk was bij Kee voor de geboorte van Lenie juist op het moment dat Maartje haar het hardst nodig had. 'Maar Lenie had de oudste rechten, want zij is tenslotte een uur eerder geboren dan Teuntje,' lacht Kee dan. Door de vele keren dat Lenie bij Maartje gebracht

wordt, raken de twee kinderen steeds dikker met elkaar bevriend en ze zetten een keel op als het bezoek van Kee aan Corrie afgelopen is en Lenie weer mee naar huis moet.
Teuntje is weer alleen, maar dat blijft niet zo, want op een ochtend is Maartje weer misselijk nadat haar ongesteldheid al enkele weken is uitgebleven. Om zekerheid te krijgen hoeft ze nu niet naar de dokter, want ze weet nu zo wel dat ze in verwachting is. Als Siem het grote nieuws hoort is hij erg blij en zij deelt zijn vreugde. Nu wordt ze niet gestoord door bijgedachten en kan ze samen met hem naar de geboorte van het nieuwe kindje verlangen. Nu weet ze wel zeker dat het kindje van Siem is, want achter de intieme omgang met Henk heeft ze lang geleden al een punt gezet. Henk wilde het wel anders en af en toe heeft zij met zichzelf strijd moeten leveren om niet voor de verleiding te bezwijken, maar het is gelukt. De confrontatie met Henk gaat ze dus maar liever uit de weg. Ze neemt zich voor tegen Dien Beuvink te zeggen dat ze echt geen tijd meer heeft om te helpen, want samen met haar stiefmoeder neemt ze nu veel naaiwerk aan. Boerinnen hebben over het algemeen een voorraadje stoffen in huis en nu er door de oorlog in Europa een steeds groter gebrek aan kleding komt, worden die lappen benut. Zij verdient er een aardig centje mee en heeft de verdiensten op de hoeve dan ook niet meer nodig.
Als ze Dien ziet begint ze erover. 'Jaren geleden heb je mij gevraagd je af en toe te helpen, Dien, en dat heb ik toen gedaan. Wel stelde ik als voorwaarde dat dat niet langer dan een halfjaar zou duren. Als het daarna nog nodig zou zijn, zou je een vaste tweede meid aan moeten nemen.'
'Maar dat is niet gebeurd, Maartje.'
'Nee, dat klopt. Jij vond het toen te pijnlijk voor Corrie, omdat die zich dan overbodig zou gaan voelen of zoiets.'
'Dat herinner ik me, maar waarom begin je daar weer over?'
'Omdat ik nu echt moet stoppen met de hulp.' En dan legt ze uit waarom ze tot haar besluit gekomen is. Dat ze vooral de confrontatie met Henk uit de weg wil gaan, vertelt ze er niet bij.
'Ik vind het jammer, maar jouw wens zal ik respecteren, Maartje. Je vertelde me laatst dat je weer in verwachting bent. Dat heeft zeker ook invloed op je beslissing gehad.'

'Nee, eigenlijk niet. De laatste maanden van de zwangerschap zou ik het wel wat rustiger aan hebben moeten doen, maar dat zou toch maar tijdelijk geweest zijn.' Ze wil haar zwangerschap zeker niet als een excuus aanvoeren.

Het gesprek tussen Maartje en Dien leidt ertoe dat besloten wordt een tweede meid aan te trekken en dat is niet zo moeilijk, want een dienst op de kapitale hoeve Madezicht is voor veel meisjes erg aantrekkelijk. De keuze van Dien en Corrie valt op de achttienjarige Nellie Vroman. Het is een mooi blond meisje en Henk is al meteen gek op haar. Ze prikkelt zijn zinnen bovenmatig, vooral als ze in het boenhok met opgestroopte mouwen bezig is melkemmers te spoelen. Lachend werpt ze haar blonde krullenkopje in haar nek als Henk grappen maakt en dan spannen haar jonge borsten zich verleidelijk in haar strakke jakje. Maar als Henk zich niet langer kan beheersen probeert ze hem op een afstand te houden. Ze heeft een vrijer van wie ze weet dat hij gedonder met de boer niet zal pikken en ze waarschuwt Henk dan ook, maar die lacht haar bezwaren weg en zegt dat hij alleen maar lief voor haar wil zijn. 'Jaloerse vrijers kunnen me wel blij maar niet bang maken, Nellie,' lacht hij overmoedig en drukt haar dan nogal vrijpostig tegen zich aan.
'Maar ik wil het ook niet, hoor! Blijf van me af!' De laatste opmerking komt als een kreet uit haar keel en dat gegil wordt opgevangen door Siem, die toevallig met melkgerei naar het boenhok loopt. Als hij binnenkomt ziet hij dat de nieuwe meid door Henk lastiggevallen wordt en daar schrikt hij van.
'Laat haar toch los, Henk!' roept-ie. 'Je ziet toch dat Nellie er niet van gediend is.'
'Nee, net niet,' vindt ook Nellie. Ze is blij dat Siem tussenbeide komt en gaat ervandoor. Siem en Henk blijven samen in het boenhok achter.
'Ik vind het wel raar, hoor Henk, dat jij de meid niet met rust kan laten,' meent Siem, maar Henk schudt zijn hoofd en bromt: 'Jij hebt makkelijk praten met een mooi wijf in de bedstee.' Hij loopt het boenhok uit en laat Siem met een raar gevoel achter. Een grove uitlating vindt hij het van de jonge boer en dat in combina-

tie met zijn handtastelijkheden maakt het nog erger. Zo kent hij Henk niet, maar Nellie, die Henk heeft zien weglopen en terugkomt in het boenhok, helpt hem uit de droom.
'Mijn zuster, die even oud is als Henk, heeft me nog gewaarschuwd,' zegt ze. 'Voor zijn trouwen heeft hij met veel meisjes van het dorp gescharreld en dat was niet zo moeilijk, want ze waren allemaal gek op hem; jouw eigen vrouw trouwens ook.' Nellie is een flapuit en ze realiseert zich niet dat haar laatste opmerking nogal pijnlijk is voor Siem. Hij hoort nu iets waarvan hij volkomen onkundig was. Maartje was vroeger dus gek op Henk Cromhout. Alleen vroeger of nu nog? Achter bepaalde woorden, gebaren en opmerkingen van Henk, zoals die van zoeven, heeft hij nooit iets gezocht, maar nu krijgen ze plotseling meer betekenis. Hij is er stil van en dat blijft hij ook als hij voor het middageten thuiskomt. En dat valt Maartje op.
'Is er iets?' vraagt ze dan ook.
'Ja... nou ja... eh, ik vind het een beetje moeilijk erover te praten.'
'Is er iets naars gebeurd?' Onzeker gehakkel is ze van Siem niet gewend.
'Henk kan Nellie niet met rust laten en toen ik er iets van zei, kwam hij met een nogal grove reactie.'
'Wat deed-ie dan en met wat voor 'n grove reactie kwam hij?' Maartje gaat op het puntje van haar stoel zitten, want wat Siem nu zegt klinkt erg naar.
'Hij betastte Nellie op een onzedelijke manier en zij protesteerde met gegil. Dat hoorde ik en ik wees Henk terecht en weet je wat hij toen zei?'
'Nou?'
'Dat ik makkelijk praten had met een mooi wijf in de bedstee.'
'Wat een rare opmerking!' Maartje schrikt ervan en krijgt ook een kleur. Ze neemt het Henk ook kwalijk dat hij zijn gevoelens voor haar op die manier laat blijken. Hij heeft haar beloofd dat nooit te zullen doen.
'Dat is het ook, maar die gedachte over jou schijnt niet van vandaag of gisteren te zijn.'
'Hoe kom je daar nou bij?'

'Dat verzin ik niet, maar dat vertelde Nellie mij. Henk schijnt, wat de meisjes van het dorp betreft, voor zijn trouwen een allemansvriend te zijn geweest. Maar andersom was dat ook zo. Volgens de wat oudere zus van Nellie waren bijna alle meiden gek op Henk en jij was er één van.'
'Ik?' Maartje begint nu echt zenuwachtig te worden. Zal haar verboden liefde en de consequentie ervan nu bij Siem bekend zijn en is hij daarom zo stil? Ze haalt zich van alles in haar hoofd.
'Ja jij! Wat heb jij dan met de boer gehad?'
'Niks!'
'Maar wat bedoelt Nellie dan?'
'Och, dat was kalverliefde. Als schoolmeisje mocht ik bij hem achterop het paard dat hij thuis gekregen had en toen waren de meiden uit mijn klas jaloers. Verder niks.' Over de vrijerij achter het bosje op weg naar Adedorp houdt ze maar wijselijk haar mond.
'O, nou begrijp ik het. Die jonge meiden kletsen maar raak en ze beseffen niet dat ze je daarmee aan het schrikken maken. Neem me niet kwalijk dat ik even iets anders dacht, Maartje.' Hij kijkt haar berouwvol aan en schuift aan tafel om te gaan eten. Voor hem is het geval genoeg besproken en Maartje is blij dat Siem er niet verder op doorgaat.
Als hij na het middageten zijn dutje gedaan heeft en weer aan de slag gaat, kan ze het gewone ritme niet meteen weer opvatten. Ze moet nog nadenken over het verhaal van Siem. Die Henk toch! Het is wel duidelijk dat hij veel tekortkomt bij zijn eigen vrouw, want waarom zou hij anders de meid lastigvallen. Maar Corrie is ziekelijk. Zij kan daar zelf ook niets aan doen en dus geeft dat Henk het recht nog niet zijn lusten bot te vieren op een jong meisje. Gek toch, ze heeft eraan gedacht toen ze die Nellie voor het eerst op de hoeve ontmoette. Een heel knap blond meisje. Dom van zowel Corrie als Dien om zo iemand aan te nemen. Dat is, wat je noemt, de kat op het spek binden. Ze weten alle twee hoe Henk in elkaar zit en dat weet Nellie, blijkens haar uitlatingen, ook.
Maar ze moet zich nu niet druk maken om Henk of om Nellie, maar aan zichzelf denken. Haar buik wordt met de dag dikker en ze heeft het eerste leven al gevoeld. Dit keer heeft ze wel de hand

van Siem gepakt en op haar buik gelegd, want ze weet zeker dat het een kindje van hem is. Hij keek haar toen met glinsterende ogen aan en toen ze hem vroeg waar hij op hoopte, wilde hij dat niet zeggen. 'Nee, dat doe ik niet, want wat ik ook zeg, ik heb altijd vijftig procent kans dat ik ernaast zit.'
'Maar zou je een meisje leuk vinden?'
'Ja, vanzelf! We hebben al een zoontje, dus zou een meisje leuk zijn. Maar een jongen is ook welkom, hoor!' voegde hij er meteen aan toe.
In de maanden erna leven ze naar de geboorte toe en dan, op een vroege dinsdagochtend, acht Maartje het raadzaam de vroedvrouw te halen.
'Nou ben je in ieder geval de eerste,' lacht Jans Streefkerk als Siem die ochtend bij haar op de stoep staat.
'Ja, gelukkig wel, want toen ik je de vorige keer niet thuis trof raakte ik behoorlijk in paniek.'
'Daar was geen reden voor, Siem, want Dora wist van wanten en je zoontje heeft er niet onder geleden. Ik kwam Maartje kortgeleden tegen toen ze de kleine bij zich had; het is al een hele baas geworden, hoor!'
'Dat is-ie zeker,' beaamt Siem. 'We moeten hem goed in de gaten houden, want hij is zo vlug als water. Als ik met hem paardensla voor zijn konijn ga steken, rolt hij pardoes de dijk af en moet ik hem achterna rennen om te voorkomen dat hij de sloot in rolt.'
'Wees er maar zuinig op, jongen, want kinderen zijn een kostbaar bezit.' Jans weet waar ze over praat. Ze heeft bijna de helft van de jeugd van het dorp op de wereld geholpen en ze weet als geen ander hoe verdrietig ouders zijn als er iets mis gaat bij de geboorte of als het kind al jong sterft.
Bij Maartje verloopt de bevalling ook deze keer zonder problemen en er wordt een blond meisje geboren. 'Een rijkeluiswens,' lacht Jans en Siem lacht met haar mee, want hij ziet zijn wens in vervulling gaan.
'Hoe komen ze toch aan die uitdrukking, Jans?' vraagt hij en dan zegt de vroedvrouw iets, waarover Siem moet nadenken.
'Een oude boer heeft me er eens op gewezen dat de eerste twee kalveren van een koe in meer dan de helft van de gevallen van

hetzelfde geslacht zijn. Dus twee kuiskalveren of twee stiertjes en bij mensen schijnt dat ook zo te zijn. Statistieken houd ik er niet op na, maar het komt inderdaad erg veel voor.'
'Wijsheden van oude boeren trek ik niet in twijfel, Jans,' reageert Siem. 'In Adedorp, waar ik vandaan kom, heb ik er ettelijke staaltjes van gehoord en gezien.'
'Bij mensen valt het niet zo op, Siem, vooral niet in de dorpen, want meestal blijft het niet bij twee kinderen. Hier in het dorp zijn gezinnen van tien kinderen en meer geen uitzondering. Ik denk dat je mij nog wel een paar keer nodig zal hebben.'
'We zullen maar afwachten,' meent Siem en Jans houdt het daar maar op. Ze moet zorgen dat alles aan kant is voordat tante Dora komt, want die zal het bakeren ook deze keer voor haar rekening nemen.
Siem fietst dus eerst naar het huis van zijn schoonvader en brengt daar als eerste het nieuws en hij feliciteert 'opoe' met haar nieuwe kleindochter.
'Joh, houd toch op met je opoe,' reageert tante Dora en ze port de pestkop onzacht in zijn lenden. Met haar negenenveertig jaren en omringd door eigen kleuters voelt ze zich nog helemaal geen opoe. Wel belooft ze meteen te zullen komen om Jans af te lossen. Trui Boekhoven is heel blij met het nieuws dat haar zoon haar brengt en dat niet in de laatste plaats omdat het meisje Truitje heet en dus naar haar vernoemd is. Ze komt de volgende dag al op kraamvisite en als haar tijd erop zit, maakt ze plaats voor de boer van Madezicht. Henk Cromhout heeft Siem die morgen al gefeliciteerd met de geboorte van zijn dochtertje, maar nu wil hij het Maartje ook doen. Hij houdt haar hand even vast als hij haar feliciteert. 'Nu heb je echt een kindje van Siem, Maartje,' fluistert hij en kijkt er niet echt vrolijk bij. Nee, hij heeft ook geen enkele reden om vrolijk te zijn. Natuurlijk vindt hij het fijn voor Maartje, maar nog steeds is hij jaloers op zijn knecht. Eén keer heeft hij dat duidelijk laten blijken toen Siem hem erop betrapte dat hij stoeide met Nellie. Helemaal onschuldig was die stoeierij niet, dat weet hij zelf ook wel, maar die meid prikkelde zijn zinnen zó met haar prachtige jonge lichaam, dat hij zich niet kon inhouden. Siem had gelijk dat hij er iets van zei, maar op dat moment kon hij dat

juist van hem niet verdragen en daarom zei hij dat-ie makkelijk praten had met een mooi wijf in de bedstee. Dom natuurlijk om zoiets te zeggen, maar het was eruit voordat hij er erg in had. Later heeft hij zich wel bij Siem verontschuldigd en ook Maartje heeft hij uitleg gegeven, maar zijn jaloezie is gebleven. Siem heeft iedere nacht een warm plaatsje naast de vrouw die hij nog steeds liefheeft en hij? Ja, wat heeft hij eigenlijk? Kind noch kraai en een ziekelijke vrouw. Die arme Corrie kan het ook niet helpen en daarom is hij goed en zacht voor haar, maar een echt huwelijksleven kan je het niet noemen.
'Wat zit je prakkiseren, Henk?' vraagt Maartje als haar bezoeker stil voor zich uit zit te staren.
'Och niks, Maartje. Wees jij blij met je kindje en let maar niet op mij.'
'Maar je moet wel wat vrolijker kijken, hoor!' vindt ze. Ze voelt wel zo ongeveer aan wat er in hem omgaat en ze heeft met hem te doen. Henk, de vrolijke Frans die aan elke vinger wel een meisje kon krijgen, moest zich tevredenstellen met een ziekelijk vrouwtje. En waarom? Om te voldoen aan de botte gewoonte in de streek dat geld met geld moet trouwen. Nog ziet Henk er jongensachtig uit, maar hij is, net als zij, al vijfentwintig en dan word je geacht een degelijk huisvader te zijn. Zoals Siem er een is: een wat saaie en degelijke huisvader. Nee, daar is Henk het type niet voor, maar een beetje meer geluk heeft-ie toch wel verdiend.

Evenals na de geboorte van Teuntje, is er ook deze keer veel aanloop tijdens de eerste dagen na de bevalling. Teuntje zelf verwelkomt iedere bezoeker vol enthousiasme en vertelt wat er allemaal gebeurd is. Er is voor hem een nieuwe wereld opengegaan. Met zijn vijf jaren begrijpt hij er nog niet veel van. Eerst was-ie samen met papa en moekie en nu is er plotseling een kindje bij gekomen. Vooral als Lenie Gerlings van hoeve De Kooi met haar moeder op kraamvisite komt geeft hij blijk van zijn verbazing en bewondering. Trots als een pauw is-ie als hij Truitje even op zijn schoot mag hebben en hij staat haar ook grootmoedig af aan zijn vriendinnetje als die erom vraagt. De twee zijn nog steeds onafscheidelijk en af en toe moet Maartje zelfs naar De Kooi gaan om

Lenie een middagje te halen. Kee Gerlings, de moeder van Lenie, vindt dat altijd goed omdat kinderen de gelegenheid moeten krijgen om met elkaar te spelen, vooral leeftijdgenootjes. Op de wat afgelegen hoeven is dat niet vanzelfsprekend. En leeftijdgenootjes zijn Teuntje en Lenie zeker, want ze schelen slechts een uur. Grappig is wel dat Lenie probeert de baas te spelen sedert ze weet dat zij een uur ouder is dan Teuntje. Dat uit zich vooral als ze vadertje en moedertje spelen. Naast de geitenschuur heeft Siem een paar paaltjes in de grond geslagen en die met balkjes aan de schuur vastgemaakt. Daaroverheen heeft hij een oud zeil gespannen en dat moet het huis van vader Teun en moeder Lenie voorstellen. Een oude groentekist is de tafel en wat beschadigde kopjes en schoteltjes vormen het serviesgoed.
Als de baby moet gaan slapen zoeken Teuntje en Lenie weer hun vertier in hun huisje. 'Als wij een kindje krijgen moeten we er ook een naam voor verzinnen,' vindt Lenie en Teuntje is het roerend met haar eens. De kans dat zij samen een kindje krijgen is volgens de twee ruimschoots aanwezig.
'Maar dan moeten we ook wel eerst een naam voor ons huisje verzinnen,' zegt Teuntje. 'Zullen we het Madezicht noemen?'
'Nee, zo heet de hoeve van tante Corrie al. Laten we ons huisje maar De Kooi noemen.'
'Dat is dezelfde naam als jullie huis; dat kan toch niet!'
'Dat kan wel!' Lenie wordt niet graag tegengesproken, maar ze doet toch wat water bij de wijn als Teuntje het er niet mee eens is. 'Zullen we het dan Ons Kooitje noemen?' Ze vraagt het zó lief dat Teuntje door de knieën gaat en dan hollen ze samen naar binnen om het grote nieuws te vertellen.
'Rustig een beetje!' vermaant tante Dora. 'Truitje slaapt en als jullie zo druk zijn, wordt ze weer wakker.'
'Maar we willen iets vertellen,' dringt Lenie aan en ze roept haar moeder erbij. 'Wij verwachten binnenkort een kindje en daar moeten we nog een naam voor verzinnen, maar voor ons huisje hebben we al een naam, hè Teun?' En Teun knikt.
'Ja, we noemen het Ons Kooitje.'
'Dat is wel een mooie naam, maar als jullie een kindje krijgen dan stop je het toch niet in een kooitje,' meent moeder Kee en daar

moeten de twee dan even goed over nadenken.
'Dan zullen we nog maar even wachten met kinderen, hè Lenie?'
Teuntje kiest maar de weg van de minste weerstand en Lenie is het met hem eens.
'Kinderen zijn hinderen,' zegt ze wijs en dan schieten Dora en Kee in een onbedaarlijke lach.
'Dat zegt onze oude knecht altijd,' hikt Kee, 'maar die heeft er twaalf.' Als Maartje later vraagt waarom er zo gelachen werd, excuseert Dora zich eerst voor de herrie, maar als ze de reden van die herrie vertelt, ligt ook Maartje te schudden in haar bed.

Vanaf die dag is Ons Kooitje het favoriete speelplekje van Lenie en Teuntje en de meeste lol hebben ze als mensen ingaan op hun uitnodiging om een kopje thee in hun huisje te komen drinken. Maar gedurende de wintermaanden is het te koud om in Ons Kooitje te bivakkeren en als het voorjaar aanbreekt, breekt ook de tijd aan dat de twee voor het eerst naar school gaan.
Maartje en Siem proberen Teuntje er zo goed mogelijk op voor te bereiden, want ze weten uit eigen ervaring dat het aanbreken van de schooltijd voor kleine kinderen een ingrijpende verandering in hun dagelijkse leventje is. 'Je bent nu een grote jongen en grote jongens gaan naar school.'
'Maar grote meisjes toch ook,' meent Teuntje en Maartje knikt.
'Ja natuurlijk, grote meisjes ook en dus gaat Lenie ook naar school. Jij kent Alie Gerlings toch goed?'
'Ja, dat is de grote zus van Lenie en die zit al op school.'
'Precies, en weet je wat we gaan doen? We vragen Alie of jij, net als Lenie, ook met haar mee mag. Vind je dat goed?'
'Ja, Alie is erg lief; als ik op De Kooi ben krijg ik altijd een koekje van haar.'
'Kijk eens aan, dan is alles geregeld.' Alie Gerlings, het tienjarige zusje van Lenie, zit al in de vijfde klas en zij heeft beloofd de zorg voor de twee kindertjes op zich te zullen nemen. Maar als de eerste schooldag aangebroken is, gaat Maartje zelf mee. Ook Kee Gerlings brengt haar dochtertje Lenie zelf naar school.
'In deze mooie klas mogen jullie voortaan in de bankjes zitten en leren lezen en schrijven,' stelt de juffrouw de kleintjes op hun

gemak. Dat probeert ze althans, want enkele kinderen klampen zich vast aan hun moeder en willen van de juffrouw nog niks weten. Teuntje is wat toeschietelijker.
'Ik wil naast Lenie zitten,' zegt-ie beslist, maar dan schudt de juffrouw haar hoofd en legt uit dat er in het lokaal vier rijen bankjes zijn. Twee rijen voor de eerste en twee rijen voor de tweede klas. In de eerst klas is er één rij voor de meisjes en één rij voor de jongens.
De kinderen van de tweede klas voelen zich ver verheven boven het huilende grut van de eerste. Maar Teuntje huilt niet, ook niet als hij van juffrouw Domburg niet naast Lenie mag zitten. 'Jij wilt als enige jongen toch niet tussen de meisjes zitten,' veronderstelt ze en Teuntje is overtuigd. Hij schikt zich naar de regels van de juffrouw en dat levert hem een aai over zijn donkere koppie op.
'Wij zullen goede maatjes worden, Teun,' zegt ze en tot Maartje: 'Boekhoven is een naam die in ons dorp vaak voorkomt; komt uw man soms uit Adedorp?'
'Ja, u ook?'
'Ik ben er gewonnen en geboren en mijn broer Kees ging om met de jongens van Boekhoven. Wat is de voornaam van uw man?'
'Siem.'
'O, die ken ik wel; met hem ging onze Kees ook om,' herinnert Tineke Domburg zich. 'Nou, doe hem maar de groeten van me.'

'Je moet de groeten van juffrouw Domburg hebben. Zij is de juffrouw van Teuntje en ze komt uit Adedorp,' zegt Maartje als ze thuiskomt en Siem verslag uitbrengt van de eerste schooldag van hun oudste.
'Tineke Domburg?' vraagt Siem verrast. 'Ja, zij moet het zijn, want ik herinner me dat zij naar de kweekschool gegaan is.'
'Haar broer Kees kwam volgens haar vaak bij jullie thuis.'
'Dat klopt! Kees heeft mijn leeftijd en zijn zus Tineke is twee jaar ouder. Leuk dat zij de juffrouw van Teuntje is, want het is een aardige meid. Wat is de wereld toch klein, hè?'
'Dat die Tineke Domburg een aardige meid is wil ik wel geloven, Siem, want ze ging heel leuk om met de kinderen en het vertrouwen van Teuntje had ze al meteen gewonnen.'

'Leuk, hoor! Als je haar weer ziet, doe haar dan de groeten terug. Ik ben blij dat Teuntje in goede handen is, want Tineke komt uit een goed gezin. Ik kwam er in ieder geval graag.'
'Als je in Adedorp bij je ouders op bezoek gaat, zou je daar toch wel een keertje langs kunnen gaan.' Het heeft Maartje eigenlijk altijd bevreemd dat Siem na hun trouwen alle contacten met zijn vrienden en kennissen in Adedorp verbroken heeft.
'Ja, dat kan ik weleens doen.' Het klinkt nogal vrijblijvend en Maartje gelooft niet dat het er echt van zal komen.

Na enkele weken is Teuntje gewend op school en als hij na enkele maanden zijn eerste rapport krijgt, blijkt hij een ijverige leerling te zijn en goede punten te behalen. Hij gaat graag naar school, maar hij geniet ook van de dagen waarop hij vrij is. Een feest vindt hij het met opa Teun mee te rijden op de meelwagen. Als service aan de klanten bezorgt de meelhandelaar op verzoek meel thuis en dat thuis kan zijn bij boeren, maar ook bij de plaatselijke bakker. Als Teuntje wat ouder wordt, mag hij zelf mennen en dat vindt hij helemaal prachtig. Door de vele ritjes op de meelwagen komt hij in contact met de boeren van het dorp en omstreken.
Opa Teun moet vaak lachen om de opmerkingsgave van de kleine jongen. Hij heeft alles in de gaten en hij heeft een geheugen als een ijzeren pot. Hij kan feilloos de namen van de hoeven opnoemen en ook wie daarop boeren. Zelfs hun bijnamen kent hij en dat zijn er vele. In het dorp komen veel dezelfde namen voor en omdat kinderen vaak naar hun vader, grootvader of oom vernoemd worden, ook veel dezelfde voornamen. Voor het onderscheid is het dan nodig bijnamen te gebruiken en zo zijn titels als bolle Jan, rooie Tinus, de Tuf en de Kuif ontstaan. Maar ook de afstamming kan een aanduiding zijn. Hein van Bert van Chrisse laat aan duidelijkheid niets te wensen over, want er is ook een Hein van Koos van Chrisse. Zo houd je ze allemaal uit elkaar. Met de Latijnse namen van hoeven heeft Teuntje wat meer moeite. Van Sursum Corda maakt hij 'Zus en Cora'. Opa moet er maar eens om lachen en hij vindt het altijd weer fijn als zijn kleinzoon met hem meegaat. Vervelen hoeft hij zich dan niet, want Teuntje

is een gezellige prater en hij is ook leergierig. Van alle dingen die hij onderweg ziet wil hij het fijne weten. Soms zit opa Teun weleens met zijn mond vol tanden, zoals nu weer. Ze rijden langs een weiland met koeien. Plotseling springt er een koe op de andere en zegt Teuntje: 'Kijk, opa, die koe is tochtig.'
'Wie zegt dat?' Teun weet wel zeker dat Teuntje de grote mensen napraat.
'Dat heeft de boer gezegd en dan moet de koe naar de stier.'
'Zo, jij bent nogal op de hoogte.'
'Ja, dat weet ik ook van de boer, maar wat de koe bij de stier moet doen weet ik niet. Weet jij dat, opa?' En daar zit Teun dan met zijn goeie gedrag. Hoe moet-ie dat nu weer aan de kleine jongen uitleggen?
'De stier moet de koe dekken en dan wordt er later een kalfje geboren,' legt hij maar naar waarheid uit en met die uitleg neemt Teuntje zonder meer genoegen. Sterker nog, hij heeft er een eigen verhaal bij.
'Bij de varkens gaat het ook zo,' weet hij. 'In het varkenshok op Madezicht heb ik gezien dat de grote beer die daar altijd loopt, met zijn kurkentrekker in een ander varken ging en toen kwamen er later ook biggetjes.'
'Met zijn kurkentrekker?' vraagt Teun lachend en Teuntje knikt heftig. En dan bedenkt opa dat het geslachtsorgaan van de beer wel iets weg heeft van een kurkentrekker. Wat een opmerkingsgave zo'n joch toch heeft! Toch is-ie blij dat Teuntje overstapt op een ander onderwerp en vraagt of er ook bij de bakker meel bezorgd moet worden.
'Waarom vraag je dat, Teuntje?'
'Ik vind het bij de bakker altijd wel leuk.'
'Leuk? Ik denk dat jij meer belangstelling hebt voor de lekkere koekjes van de bakker, of niet?'
'Ja, ook wel een beetje, hoor!' moet Teuntje ruiterlijk toegeven.
'Goed, we gaan eerst naar de bakker en voordat we terug naar de meelfabriek gaan, ook nog meel bezorgen bij De Kooi.'
'O, dat is helemaal leuk,' juicht Teuntje. Hij neemt zich nu al voor bij de bakker een extra koekje te vragen voor Lenie en dat doet-ie dan ook als ze er zijn.

'Wat sta je me aan te kijken, wil je nog meer?' vraagt de bakker als hij, zoals gebruikelijk, Teuntje een koekje gegeven heeft.
'We gaan zo nog meel bezorgen bij De Kooi en daar woont mijn vriendinnetje.'
'En hoe heet dat vriendinnetje dan?' De bakker krijgt lol in het kleine ventje.
'Lenie Gerlings, en ze is een uur ouder dan ik.'
'En daarom wil je voor haar ook een koekje meenemen,' concludeert de bakker lachend. 'Weet je wat je doet? Je eet het koekje dat je in je hand hebt, lekker op en dan krijg je er van mij nog twee mee. Dan kunnen jij en je vriendinnetje samen knabbelen. Goed?'
'Ja graag, meelmuis.'
'Teuntje toch!' schrikt opa. 'Dat mag je toch niet zeggen!'
'Dat moet jij hem geleerd hebben, Teun, want die kleine jongen heeft het niet van zichzelf,' lacht de bakker. Hij weet dat hij in het dorp de bijnaam 'meelmuis' heeft en dat vooral kinderen het onderscheid tussen de echte naam en de bijnaam van velen niet meer kennen. Opa Teun lacht dan maar met de bakker mee, maar hij moet zijn kleinzoon er wel op wijzen dat hij zijn klanten niet meer met hun bijnaam moet aanspreken.
Als ze op weg gaan naar De Kooi begint Teun erover en Teuntje belooft er op te zullen letten. Wat hij precies misdaan heeft is hem echter niet geheel duidelijk. Meer aandacht heeft hij voor het puntzakje, dat hij in zijn knuistje klemt en waarin de bakker twee koekjes gestopt heeft.
'Jij wordt maar verwend door de bakker,' vindt opa en Teuntje knikt.
'Maar ik ga ook iemand verwennen, hoor!' reageert hij met een wijs snoetje. 'In het zakje zitten twee koekjes en een ervan is voor Lenie.' Het is aan Teuntje te zien dat hij al bij voorbaat geniet van zijn eigen gulheid.
'Wat heb jij dan in dat zakje?' vraagt Lenie Gerlings als ze met de meelwagen bij De Kooi aankomen.
'Ik zal het zeggen als je eerst een sommetje oplost,' zegt Teuntje raadselachtig. 'Hoeveel is een en een?'
'Twee, dat is toch makkelijk zat,' vindt Lenie.

‘Dat is goed en zoveel zitten er ook in dit zakje.’ Teuntje wil de spanning er nog even in houden.
‘Maar wat zit er dan in?’ Lenie wordt een beetje ongeduldig.
‘Dat moet je raden; ik kan je alvast verklappen dat het heel lekker is.’
‘Babbelaars.’ Lenie vindt babbelaars wel zo’n beetje de lekkerste snoepjes die ze kent.
‘Warm, maar niet goed! Ik zal je nog wat helpen; ik heb ze van de bakker gekregen.’
‘Krentenbollen.’
‘Nog niet goed.’
‘Eet ze dan zelf maar op, hoor!’ Lenie is het zat en loopt een beetje nijdig weg, maar dat is niet de bedoeling van Teuntje.
‘Het zijn koekjes, Lenie.’ Hij loopt haar na en houdt het geopende zakje uitnodigend onder haar neus. Nieuwsgierig kijkt ze erin en neemt er eentje uit. De andere steekt Teuntje zelf in zijn mond en dan zitten ze samen op een bankje te smullen. Boerin Kee schudt haar hoofd over zoveel verwennerij, maar als Teuntje zegt dat hij dorst heeft, krijgt hij wel een beker karnemelk met een schep suiker erin en dan heeft Lenie natuurlijk ook plotseling erge dorst.
‘Is meneer klaar?’ vraagt opa Teun lachend als hij de meelzakken afgeladen heeft en het tijd is om te vertrekken en dan neemt Teuntje afscheid van Lenie en gaat het in galop huiswaarts.
‘Jij bent wel gek op je vriendinnetje, hè?’ constateert opa en Teuntje knikt heftig.
‘Ja, maar ik heb ook wel vriendjes op school, hoor! Ze maken me vaak uit voor meidengek en dat vind ik niet zo leuk.’
‘Dus ga je niet meer zoveel met haar om,’ raadt opa, maar daar is Teuntje het niet mee eens.
‘Ik speel met Lenie als de anderen het niet zien.’
‘Gelijk heb je, want ik vind Lenie een heel lief meisje, maar ze is wel een beetje kattig.’
‘Ja, misschien wel, maar ik vind haar ook heel lief, hoor!’
Teuntje kijkt dromerig voor zich uit en dan moet opa Teun aan zijn eigen kinderjaren denken. Hij herinnert zich dat hij in de tweede klas, waarin zijn kleinzoontje nu ook zit, smoorverliefd

was op Rietje. Ze was een meisje met een rond blozend gezichtje en blonde krulletjes. In tegenstelling tot Teuntje durfde hij haar nauwelijks aan te spreken, want hij was maar een eenvoudige arbeidersjongen en zij de dochter van een rijke boer. Nu is diezelfde Rietje een dikke boerin en ook al opoe. De geschiedenis herhaalt zich waarschijnlijk, want ook Teuntje is maar een eenvoudige jongen en Lenie een rijke boerendochter. Het is nu nog kinderspel, maar als het ooit menens zou worden, dan zal het zo goed als zeker voor beiden op een teleurstelling uitdraaien. Enfin, de tijd zal het leren.

HOOFDSTUK 7

'Jij neemt Truitje weer mee uit school, hè Teun?' Maartje is die ochtend mee naar school gegaan omdat het de eerste schooldag van Truitje is. Ze heeft de kleine meid aan de zorgen van juffrouw Domburg toevertrouwd, maar Teun, die inmiddels in de vijfde klas zit, moet ervoor zorgen dat zijn zusje weer veilig thuiskomt.
'Kun je haar zelf niet komen ophalen, moe? Ik heb met Gert Dam afgesproken om eieren te gaan zoeken; hij weet nesten te zitten.'
'Nee, daar heb ik geen tijd voor, hoor! Breng eerst Truitje maar thuis en ga daarna maar eieren zoeken.'
'O, wat jammer nou!' Teun vreest dat Gert die middag geen zin zal hebben om op hem te wachten en dan grijpt hij er weer naast. Misschien neemt Gert dan Fons Goekoop wel mee. Maar dan ziet hij Lenie Gerlings en dat is voor hem de reddende engel. Hij roept haar. 'Lenie! Wil jij na schooltijd Truitje meenemen en bij moe brengen?'
'Waarom? Kun je dat zelf niet doen?'
'Nee, want ik heb met Gert Dam afgesproken om eieren te gaan zoeken. Toe, doe het nou, Lenie.' Hij kijkt het meisje waarmee hij vroeger bijna dagelijks speelde met smekende ogen aan en voor die blik blijkt Lenie gevoelig te zijn.
'Goed, ik doe het, maar op voorwaarde dat je mij ook een paar eieren brengt.' Het is Lenie al een poos een doorn in het oog dat Teun Boekhoven niet meer naar haar taalt. Af en toe komt ze nog met haar moeder op Madezicht en dan gaat ze stiekem kijken of Ons Kooitje er nog staat en dat staat er nog. Ze zou nog best eens in het huisje willen spelen, maar Teun wil dat niet meer. Hij vindt het te kinderachtig. Jammer, want het was altijd erg leuk, vooral als er mensen op de thee kwamen. Ze kregen natuurlijk gewoon maar wat water in het kopje, maar ze deden net of het heerlijke thee was.
'Als ik eieren vind is de helft voor jou, goed?'
'En als je niks vindt?'
'Dan krijg je ook de helft,' lacht Teun en dan moet Lenie ook lachen. Ze zal Truitje wel meenemen als de school uit is en bij haar moeder brengen. Zoveel moeite is dat niet, want ze komt

toch langs het huisje waar ze vroeger zo fijn gespeeld heeft. Ze zegt het ook tegen Maartje en die belooft haar een babbelaar als ze het doet. En zo is alles naar ieders tevredenheid geregeld, maar vooral voor Teun, want die zit zich vervolgens de hele dag te verheugen op het vooruitzicht na schooltijd met Gert eieren te gaan zoeken.

'Mag ik mee?' vraagt Fons Goekoop als hij na schooltijd hoort dat Gert Dam en Teun Boekhoven eieren gaan zoeken.
'Weet jij dan nesten te zitten?' vraagt Teun. Het lijkt hem dat de spoeling nogal dun wordt als ze met hun drieën de buit moeten delen.
'Nee, ik weet geen nesten te zitten, maar ik heb in de polder achter de kerk een heleboel eenden zien vliegen en waar eenden vliegen zitten ook nesten.'
'Dat is waar, Teun,' zegt Gert. 'We gaan eerst in de polder achter de kerk zoeken en daarna naar de twee nesten die ik weet te zitten.' Aldus wordt besloten. Eenmaal in de polder aangeland verdelen ze de taken. Elk van de drie jongens struint de slootkanten van een ander weiland af en de buit zal daarna eerlijk verdeeld worden.
Na een uur zoeken hebben ze bij elkaar negen eieren gevonden, dus krijgen ze er elk drie.
Met die drie eieren komt Teun later op de middag bij De Kooi aan, want belofte maakt schuld. Alleen zit hij wel met een probleempje. Hij heeft de helft van de buit aan Lenie beloofd, maar drie kun je niet door twee delen. Ja, drie appels wel, want dan snijd je er gewoon een doormidden, maar met drie eieren gaat dat niet, tenzij je ze eerst kookt en daar heeft hij geen tijd voor. Om de zaak niet nodeloos ingewikkeld te maken biedt hij er Lenie grootmoedig twee aan, maar dat wil zij niet.
'Ik heb een beter voorstel,' zegt ze. 'Jij kookt thuis de eieren en dan eten we ze samen morgen op in Ons Kooitje.' Ze kijkt hem met een triomfantelijke blik aan, want ze is best een beetje trots op haar eigen ingeving. Nu ziet ze kans met Teun weer eens fijn in hun huisje te spelen, maar tot haar teleurstelling schudt Teun zijn hoofd.

‘Dat kan niet, want Ons Kooitje is er niet meer.’
‘Wel!’ protesteert Lenie. ‘Ik heb het vorige week nog gezien en ik ben er ook even in geweest.’
‘O.’ Teun weet niet goed hoe hij moet reageren. Hij weet wel dat alles nog bij het oude gebleven is, maar hij vindt het zó kinderachtig er met een meisje in te gaan spelen, dat hij er helemaal niets voor voelt. Meisjes zullen daar best anders over denken, maar hij vindt het niks. Als Gert en Fons het horen lachen ze hem uit. Hij zegt het ook, maar Lenie belooft er met niemand over te zullen praten.
‘Het blijft een geheimpje tussen ons, Teun,’ zegt ze zacht en ze kijkt hem daarbij zó lief aan, dat Teun door de knieën gaat.
En zo zitten ze de volgende dag na ruim een jaar samen weer eens in Ons Kooitje en peuzelen de hardgekookte eendeneieren op.
‘Vind je het nou niet gezellig?’ vraagt ze in de veronderstelling dat Teun het net zo leuk vindt als zij, maar Teun schudt zijn hoofd weer.
‘Ik vind de eieren lekker, maar die hadden we net zo goed bij mijn moeder in de keuken kunnen opeten. Als iemand ons hier ziet schaam ik me dood.’
‘Waarom zeg je dat nou? We hebben hier toch altijd fijn gespeeld en opeens vind je er niks meer aan.’ Lenie is duidelijk teleurgesteld. Haar hele plannetje weer eens fijn met Teun te kunnen spelen valt in duigen.
‘Toen we hier speelden waren we nog klein, maar nu vind ik het kinderachtig.’ Teun staat op en loopt naar buiten. Hij neemt zich voor nog diezelfde dag Ons Kooitje met de grond gelijk te maken. Dat hij daarmee een van de leukste fasen uit zijn jeugd afsluit, zal hij later pas begrijpen.

Alsof een onbekende er opdracht voor gegeven heeft ontstaan er plotseling kinderspelen, zoals knikkeren, vliegeren en paardjerijden. Van dat laatste hebben alle kinderen het nu weer te pakken. Oude paardentuigjes worden uit de kast gehaald of de kinderen slaan ijverig aan het punniken. Zo ook Teun en Truitje heeft hem daarbij geholpen. Het resultaat is een kleurrijk tuigje en Teun trekt er met zijn vrienden Gert Dam en Fons Goekoop op uit. Ze dwa-

len een eind van de dorpskern af en galopperen langs afgelegen boerderijen tot Gert Dam de leidsels aantrekt en 'de paarden' doet stoppen. Ze staan voor de hoeve van Hannes Vredevoort en Gert vraagt of de jongens soms zin hebben in een portie aardbeien.
'Ja, wie niet?' reageren Teun en Fons. 'Maar hoe komen we daaraan?'
'Dat is niet zo moeilijk,' vindt Gert. Als zoon van de koster moet hij bij leden van het kerkbestuur soms een boodschap van zijn vader overbrengen en dus weet hij hoe het er achter de lage struiken die de hoeve omringen, uitziet.
'Vertel op, Gert!' Teun wordt nieuwsgierig.
'Over de brug naast de laan naar de hoeve ligt een grote moestuin en daar heb ik bedden met aardbeien gezien. Hele grote en lekker rijp.' Het water loopt hem in de mond als hij eraan denkt, want hij heeft er laatst na aflevering van zijn boodschap, ook stiekem een paar gepikt.
'Laten we dan maar eens gaan kijken,' vindt Fons. Als zoon van een boerenknecht met een groot gezin krijgt hij lekkernijen als rijpe aardbeien niet dagelijks op zijn bord. 'Loop jij maar voorop, Gert, want jij weet de weg,' stelt hij voor, maar Gert schudt zijn hoofd.
'Dat kan niet, want mij kent-ie en als hij ons betrapt durf ik hem nooit meer een boodschap van mijn vader te brengen.'
'Wijs ons dan maar waar die aardbeienbedden zijn, dan gaan Teun en ik er wel op af.' Fons is niet bang uitgevallen, maar Teun kijkt toch bedenkelijk. Ook hij is diverse keren met zijn opa bij boer Vredevoort geweest om meel te bezorgen en wil ook liever niet herkend worden, maar toch wil hij Fons er niet alleen voor laten opdraaien en besluit met hem mee te gaan. Gert zal op de uitkijk gaan staan en fluiten als er onraad is.
Op aanwijzing van Gert hebben ze de moestuin vlug gevonden en ze moeten alleen nog over een hek klimmen om de aanlokkelijke aardbeienbedden te bereiken. Maar dan is het feest, want Gert heeft gelijk, er zitten veel rijpe en grote aardbeien aan de planten en dus proppen ze eerst hun mond vol en doen de rest in hun pet, maar dan klinkt er een schril fluitje van Gert en dus is er onraad. En dat onraad is er in de persoon van de aanstormende boer, die

de onverlaten ontdekt heeft. Ze rennen dus naar het hek en klimmen er vliegensvlug overheen, maar Teun heeft het ongeluk aan een spijker te blijven hangen en een grote winkelhaak in zijn broek te halen. Bovendien verliest hij zijn pet met aardbeien en al, maar hij let nergens op en heeft slechts één doel en dat is uit de handen van de woeste boer te blijven en dat lukt. De 'paarden' slaan vervolgens op hol, maar aan hun spel denken ze dan niet meer. Ze maken zich uit de voeten en blijven op veilige afstand staan om uit te hijgen en dan pas dringt het tot Teun door dat hij een scheur in zijn broek heeft en dat hij zijn pet met aardbeien kwijt is. Fons heeft zijn pet nog, maar de inhoud is een rode brij. 'Als jij nog eens wat weet,' bromt Fons zijn pet in een sloot uitspoelend. En dan kan Gert niks anders doen dan zich op de knieën slaan van de pret om zijn twee ontredderde kameraden. Die lachen dan maar met hem mee, maar meer als de bekende boer die kiespijn heeft. Vooral Teun maakt zich zorgen om hetgeen hem thuis te wachten staat.

'Hoe kom jij aan die scheur in je broek en waar is je pet?' Moeder Maartje slaat haar handen van ontzetting ineen als ze haar zoon ziet. En dan heeft Teun de pech dat op dat moment ook zijn vader thuiskomt voor de avondboterham. Hij moet vertellen wat hij uitgespookt heeft en wordt dan door Siem zonder eten naar boven gestuurd. 'Je moet leren van een andermans spullen af te blijven,' bromt-ie nijdig. 'Van wie je die brutaliteit hebt is mij een raadsel. In ieder geval niet van mij, want dat soort streken heb ik vroeger nooit uitgehaald.'
Nee, jij niet, maar zijn echte vader wel, zou Maartje willen zeggen, maar zij houdt wijselijk haar mond. Ze heeft in de loop der jaren al meer karaktertrekken van Henk Cromhout in Teun ontdekt. Een durfal was Henk en dat vond ze juist zo aantrekkelijk in hem. Kwajongensstreken heeft Henk vroeger met tientallen tegelijk uitgehaald en natuurlijk heeft Teun daar iets van geërfd. En moet zij daar nu rouwig om zijn? Nee, integendeel, ze houdt daardoor juist des te meer van haar jongetje, want met zijn elf jaren is hij dat nog steeds. Zelf vindt hij zich al een hele vent en dat bleek wel toen Lenie hem maanden terug verleidde in hun oude tentje

eendeneieren die hij gevonden had, op te eten. Lenie was het kinderspel nog niet ontgroeid, maar Teun wel, althans, zo voelde hij het. Dat was ook de reden waarom hij het tentje dezelfde dag nog sloopte. Jammer dat kinderen zo vlug groot worden. Als Siem straks in zijn tuin gaat werken zal ze Teuntje maar stiekem wat eten brengen.

Jammer dat kinderen zo vlug groot worden. Die gedachte komt bij Maartje weer op als de datum nadert waarop de schooltijd erop zit voor Teun. Om zich voor te bereiden op het werk dat hij moet gaan doen als hij van school af is, helpt hij af en toe op Madezicht. Hij haalt de koeien op, leert melken en als er mest over het land wordt uitgereden mag hij van de boer zelf mennen. Het is nog meer kinderspel dan echt werken, maar Henk meent dat de jongen er goed voor betaald moet worden en tot verbazing van Siem geeft hij hem aan het eind van de week een daalder. Teun zelf is er dolblij mee en slaat zich trots op zijn borst dat hij nu al meer verdient dan zijn drie kameraden samen. Hij is vol lof over de gulle boer, die geen kwaad meer bij hem kan doen. Siem schudt zijn hoofd en als hij alleen met Maartje is steekt hij zijn verbazing over de gulle Henk Cromhout niet onder stoelen of banken. 'Als jij het begrijpt moet je het maar zeggen; ik in ieder geval niet.'

'Je moet Teuntje niet meer zulke grote bedragen geven, Henk,' zegt Maartje als ze melk gaat halen en even met de boer alleen is. 'Siem begrijpt er niks van. Voor de kleine klusjes die Teuntje doet, geef je zo'n joch een paar dubbeltjes, maar toch geen daalder.'
'Gun mij toch wat, Maartje,' reageert Henk. 'Nu de jongen wat ouder wordt zie ik steeds meer dingen van mezelf in hem terug.' Hij legt zijn hand op haar schouder, maar zij schuift die weg.
'Niet doen, Henk!' Haar gevoelens voor de boer zijn niet dood, maar ze wil absoluut geen herhaling van intimiteiten. In de loop der jaren is ze Siem steeds meer gaan waarderen en raken haar gevoelens voor Henk toch wat op de achtergrond. Siem is wel saai en lang niet zo'n goede minnaar als Henk, maar hij is trouw en hij

houdt veel van haar. Dat merkt ze aan alles. Daarom mag uit niets blijken dat Teuntje een kind van Henk is. Dus mag de boer de jongen ook niet verwennen met extra geld. Natuurlijk heeft ze met Henk te doen. Hij heeft een zoon, maar hij mag zijn gevoelens voor de jongen niet tonen. Aan eigen kinderen hoeven hij en Corrie niet te denken. 'Het zou haar dood worden,' heeft de dokter gezegd en dus is er van een echt huwelijksleven geen sprake meer, zo het er al ooit geweest is.

En dan is het plotseling zover. Teun heeft afscheid genomen van de meester en moet op zoek naar werk. En voor een arbeidersjongen als Teun Boekhoven zal dat uit boerenwerk bestaan. Hij zal een baantje als jong knechtje op een van de vele boerderijen van het dorp moeten zoeken.
'Als je nou weer eens meegaat met opa op de meelwagen, dan kom je bij veel boeren, waarvan er misschien wel een 'n knechtje nodig heeft,' oppert Siem en Teun is het met hem eens.
'Ik ga het meteen aan opa vragen,' zegt hij en rent de deur uit om de daad bij het woord te voegen. En opa Bieshof vindt het alleen maar gezellig als zijn kleinzoon met hem meegaat.
Het kan de volgende dag al, maar de rit draait voor Teun op een teleurstelling uit. Geen van de boeren waar ze meel afleveren, heeft een knechtje nodig.
'En, heb je al een baas gevonden?' vraagt Siem als hij die avond na het melken thuiskomt, maar aan het sombere gezicht van zijn zoon ziet hij wel dat dat nog niet het geval is.
'Ze moeten me niet,' zegt Teun, maar dat vindt moeder Maartje na één dag wel een wat voorbarige conclusie.
'Je bent pas één dag onderweg geweest, jongen. De moed moet je niet zo gauw verliezen, hoor!' En het is maar goed dat Teun dat niet doet, want de volgende dag hebben ze meer succes. Bij De Windhoek, de hoeve van Koos en Bep van Es, krijgt Teun van de boer zelf een compliment, omdat hij goed helpt bij het lossen van het meel. Hij is al aardig uit de kluiten gewassen en met gemak tilt hij een zak meel op. Opa waarschuwt hem wel dat hij moet uitkijken zich niet te vertillen, maar Teun lacht erom.
'Die is uit het goede hout gesneden,' zegt Koos van Es goedkeu-

rend en daar haakt opa Bieshof meteen op in en zegt dat Teun werk zoekt.
'Zou jij hier willen werken?' vraagt Koos nu aan Teun en die knikt ijverig.
'Ik ben van school af en ik kan ook al melken,' reageert hij spontaan.
'Dat klinkt goed,' zegt de boer. 'We kunnen hier wel een jong maatje gebruiken, als we het tenminste over de voorwaarden eens kunnen worden.' Hij kijkt daarbij opa aan, maar die schudt zijn hoofd.
'Ik ben maar de opa,' lacht hij. 'Ik zal mijn schoonzoon vragen met Teun langs te komen.'

'Moe, ik heb werk gevonden,' roept Teun al voordat hij binnen is. Zijn gezicht straalt.
'Waar?'
'Bij boer Van Es op De Windhoek. Ik word daar knecht en Koos van Es vindt dat ik uit het goede hout gesneden ben.'
'Waarom zei hij dat?'
'Omdat ik opa goed hielp met het lossen van de meelzakken. Fijn dat ik werk heb, hè moe?'
'Ja, dat is fijn voor je, jongen.' Maartje zegt het wel, maar of ze het echt zo fijn vindt valt te bezien. Ze moet erg aan het idee wennen dat Teun zich voor een grijpstuiver bij een boer van 's morgens vroeg tot 's avonds laat moet uitsloven.
Als Siem thuiskomt en Teun ook hem enthousiast zijn verhaal vertelt, blijkt uit de blik waarmee Maartje haar man aankijkt niet dat zij de vreugde van de jongen deelt. Als Teun later op de avond naar bed is en zij met Siem doorpraat over het baantje van Teun, pinkt zij een traan weg. 'De boer had het volgens Teun over voorwaarden. Als die maar niet inhouden dat hij voor dag en nacht wordt aangenomen,' zegt ze met een bezorgd gezicht. 'Ik wil wel dat hij iedere avond thuiskomt, hoor!'
'Maar dat is erg onpraktisch, vrouw,' meent Siem. 'Je weet zelf hoe laat ik op moet om te melken. Voor Teun komt daar nog een halfuur bij, want hij moet helemaal naar De Windhoek lopen.'
'Probeer het toch maar als je met Koos van Es praat, Siem.'

Dertien jaar heeft ze Teun onder haar vleugels gehad en het valt haar zwaar hem nu aan de zorgen van anderen toe te vertrouwen. 'Ik ga eerst maar eens horen welke voorwaarden Koos stelt. Morgenavond na het eten ga ik er met Teun heen.'

'Voorzichtig met die hond,' waarschuwt Siem als hij de volgende avond met Teun bij De Windhoek aankomt en de hond grommend aan zijn ketting rukt.
'Hij heet Tommie en hij doet niks,' weet Teun. Hij is niet bang voor honden en loopt dus gewoon naar het beest toe. Tot verbazing van Siem houdt het grommen op en laat de hond zich door Teun strelen. Ook de boer, die het ziet, is verbaasd.
'Als je een dief was zou je alles kunnen jatten zonder dat Tommie aanslaat,' lacht-ie.
Binnen bespreekt Siem met de boer de voorwaarden en ze worden het algauw eens. Teun wordt aangenomen voor dag en nacht met de volle kost. Hij kan de volgende dag al beginnen. Op de stalzolder zijn enkele kleine slaapkamertjes en een ervan krijgt Teun toegewezen. De mogelijkheid alleen overdag te blijven en elke avond naar huis te komen heeft Siem onbesproken gelaten, omdat hij dat toch te onpraktisch vindt.

Met pijn in haar hart laat Maartje haar zoon de volgende morgen vertrekken. In een jutezak heeft zij alle spullen van de jongen gestopt en ze drukt hem op het hart vooral voorzichtig te zijn. Haar ogen worden vochtig en Teun moet dan ook even een brok in zijn keel wegslikken. Nooit eerder is hij een nacht van huis geweest en nu zal hij elke nacht op De Windhoek slapen. Afgesproken is wel dat hij op woensdagavond en op zondag thuiskomt. 'Dag, jongen, doe maar goed je best, hoor!' Maartje kijkt hem na tot hij uit het zicht is. Ze gaat aan de tafel zitten en steunt haar hoofd op haar armen. Haar schouders schokken. Al die jaren heeft zij haar jongetje bij zich gehad en nu moet hij op eigen benen staan. Ze hoopt maar dat Bep van Es, de boerin van De Windhoek, aardig voor hem is en goed voor hem zorgt. Ze kent de boerin als een struise vrouw en ze ziet er een beetje nors uit, maar schijn bedriegt misschien wel. Erg goed kent ze haar niet

en dus hoopt ze er het beste van. Ze heeft het er erg moeilijk mee. Als ze even later melk gaat halen ziet Henk dat haar ogen rood zijn. 'Is er iets?' vraagt hij belangstellend. Hij is het van Maartje niet gewend dat zij zo somber kijkt.
'Och, laat me maar. Teun is vanmorgen voor het eerst aan zijn nieuwe baantje begonnen en hij komt nog maar twee keer in de week thuis. Daar moet ik even aan wennen.'
'Over welk baantje heb je het, Maartje?'
'Hij is knechtje geworden bij Koos van Es op De Windhoek.'
'O, bij Koos en Bep.'
'Ken jij ze goed?'
'Goed is een groot woord, maar ik heb ze vaak genoeg ontmoet. Bep ging vroeger veel om met onze Mien, want die twee zijn ongeveer even oud.'
'Hoe is die Bep?'
'Ze ziet er een beetje nors uit, maar het is een best mens en Koos is ook wel een aardige kerel. De Windhoek is maar een kleine bedoening met weinig koeien, maar het is een gezond bedrijfje. Ik kan me voorstellen dat Koos er zijn handen in zijn eentje vol aan heeft en een knechtje goed kan gebruiken.'
'Dus jij vindt dat Teun daar wel op zijn plaats is.'
'Ja, waarom niet? Werken moet je overal. Bij mij had hij ook wel kunnen komen, maar ik heb het niet voorgesteld, omdat ik weet dat jij daarop tegen zou zijn geweest.'
'Dat is waar.' Het komt er bij Maartje een beetje wijfelend uit. Henk heeft wel gelijk, maar het idee dat ze haar jongen heel dichtbij had kunnen houden, blijft haar de verdere dag wel door het hoofd spelen.

In De Windhoek zitten ze aan de koffie als Teun arriveert. 'Zo, daar hebben we onze nieuwe knecht,' lacht Koos van Es. Teun wordt er verlegen onder en weet zich niet zo goed een houding te geven. Boerin Bep van Es stelt hem op zijn gemak en wijst hem een stoel aan.
'Schenk jij Teun maar een kom koffie in, Daatje,' zegt ze. Daatje Dullens is meid op de hoeve en ze neemt Teun met belangstelling op. Op school zat ze twee klassen hoger dan Teun Boekhoven. Hij

was toen een wat schrale jongen, maar hij is inmiddels wel in zijn voordeel veranderd. Ze knikt hem vriendelijk toe en doet een grote schep suiker in zijn koffie. 'Hé hé! Het kan wel op, al is het lekker,' protesteert de boerin tegen de gulheid van haar meid, maar Daatje haalt haar schouders op en als de boerin niet kijkt geeft ze Teun een knipoog. Ze vindt het wel leuk dat er een jonge knul op de hoeve komt. Met de boer en de boerin valt niet veel te lachen en dat is juist iets wat Daatje graag doet.

Al na korte tijd heeft Teun zijn draai op De Windhoek gevonden. Thuis molk hij de laatste tijd vaak de geit en op Madezicht leerde hij ook koeien melken. Wel moet hij er nog een beetje aan wennen iedere ochtend voor dag en voor dauw uit de veren te moeten, maar ook dat went al. Als Daatje in het boenhok een vrolijk liedje zingt, fluit hij dat ook vrolijk mee. Maar Daatje plaagt graag en als hij even niet oplet slaat ze haar natte handen voor zijn gezicht en moet hij raden wie ze is. Teun moet lachen om die onzin en achter zijn rug knijpt hij haar in haar zij, waarop ze giechelt dat hij niet moet kietelen.
'Hé, het is hier geen speeltuin, hoor!' bromt de boer, die toevallig het boenhok binnenkomt, quasinijdig. Maar aan zijn lachende gezicht zien ze wel dat hij er niets van meent. Hij geeft de aantrekkelijke Daatje een tik voor haar billen en stuurt haar weer aan het werk. Dat duurt niet lang, want de boer heeft zijn hielen nog niet gelicht of ze begint Teun weer te plagen. Tot Teun het zat wordt en, potig als hij is, Daatje in haar kladden grijpt en haar over de knie legt.
'Heb jij zin in een portie billenkoek, donderse meid?' vraagt-ie, haar stevig in zijn greep houdend. Maar voordat de 'donderse meid' die afstraffing krijgt, laat hij haar schielijk los, want hij hoort de boerin komen en hij weet dat zij er niet van houdt als ze samen stoeien. Daatje vindt het jammer dat de boerin hun opwindende spelletje komt verstoren en als de boerin weg is kijkt ze hem met een guitige blik aan en knijpt hem bewonderend in zijn spierballen. 'Jij bent sterker dan ik dacht, Teun,' zegt ze en dat ontlokt Teun de waarschuwing dat ze dus voortaan weet wat er gebeurt als ze weer plaagt.

Iedere woensdagavond en op zondag gaat Teun trouw naar huis en altijd weer wordt hij door Maartje met open armen ontvangen. Ook zij knijpt hem bewonderend in zijn spierballen, want door het zware boerenwerk is hij in korte tijd uitgegroeid tot een stevige knaap. Ook begint hij uit zijn kleren te groeien, maar dat is voor Maartje niet zo'n groot probleem. Nog steeds verdient zij er een aardig centje bij met naaiwerk en dat is ook de reden waarom Teun thuis geen geld hoeft af te dragen. Wel heeft hij thuis een spaarpot waar hij, onder het toeziend oog van vader Siem, geregeld geld in stopt. Siem houdt hem voor dat het handig is wat geld achter de hand te hebben. Teun is het met hem eens, maar als hij enkele jaren op deze manier gespaard heeft, wil hij toch weleens iets voor zichzelf kopen. Hij wil een fiets. Siem sputtert nog wat tegen, maar Maartje is het met haar zoon eens. Zij wil nog steeds graag dat Teun, behalve op zondag, ook doordeweeks een keertje naar huis komt. Lopend is dat heen en terug een dik uur, maar met de fiets is het maar een wippie. De fiets komt er dus en dat bezit helpt Teun weer een treetje verder op de maatschappelijke ladder.

En zo gaan er enkele jaren voorbij zonder dat er schokkende dingen gebeuren. Met zijn zeventiende ziet Teun eruit als een knaap van tegen de twintig. De meisjes van het dorp wagen graag een oogje aan Teun Boekhoven met zijn donkere haardos en op De Windhoek kan hij geen kwaad meer doen. De kinderen hangen aan hem en baas Koos is best tevreden over hem. Ook Daatje is nog steeds graag in zijn nabijheid, maar nu is het geen kinderspel meer.
Een eind van de boerderij heeft Koos van Es een stuk land gehuurd en het is de taak van Teun om de daar lopende koeien dagelijks twee keer te gaan melken. Om er tijdig mee klaar te zijn heeft hij de hulp van Daatje nodig en zij gaat maar al te graag met hem mee. Ze is in de loop der jaren een beetje verliefd op hem geworden, maar vooralsnog komt de liefde van één kant. Teun is nog niet aan verkering toe en als hij al aan een meisje denkt, dan doemt steeds het beeld van zijn oude vriendinnetje, Lenie Gerlings, op. Een vrouwenhater is hij overigens niet, want als Daatje in de afgelegen koebocht haar warme armen om zijn nek

slaat, weigert hij haar zijn zoentje niet. Ze vindt het altijd fijn even met hem te kussen en te knuffelen als ze zich onbespied waant. Als ze samen in het hooiland werken en het is erg warm, dan stroopt ze de mouwen van haar jak op en maakt de bovenste knoopjes ervan los. Ze heeft een mooi figuurtje en daar is Teun zeker niet ongevoelig voor. Als ze even uitblazen achter een hooihoop kruipt ze als een aanhalig poesje dicht tegen hem aan en dat is voor beiden nogal opwindend. Het is heet en daarom knoopt ze haar jakje nog iets verder open. 'Ik zal daar wel even blazen, dan koel je een beetje af,' lacht Teun.
'Ja, doe dat, want ik heb het erg warm, voel maar.' Ze pakt zijn hand en schuift die onder haar jakje. De aanraking van haar warme stevige borsten bezorgt Teun een siddering en hij kust haar vurig terug als zij haar mond op de zijne drukt. Maar dan springt hij op, want de verleiding om verder te gaan wordt voor hem te groot. Daatje kijkt wat teleurgesteld, want de vrijpartij heeft ook haar danig opgewonden, maar Teun schudt zijn hoofd.
'We moeten ons verstand gebruiken, Daatje,' zegt-ie en zonder haar reactie af te wachten gaat hij weer aan het werk. En ze moeten opschieten om nog zoveel mogelijk hooi op hopen te zetten, want ze merken aan alles dat er onweer op komst is. Helaas lukt het die dag niet helemaal en klettert de regen neer voordat ze klaar zijn. Een schrale troost is dat de buien de natuur lekker opgefrist hebben en als later de zon weer doorbreekt, komt het hooi toch nog droog binnen.

'Heb jij al een kermismeid, Teun?' vraagt Gert Dam als de kameraden elkaar op een zondag in het midden van augustus in het dorpshuis ontmoeten. 'Fons Goekoop heeft er al een en ik hoop vandaag met Antje Teuling rond te komen.'
'Dan kan ik niet achterblijven,' reageert Teun. Hij hoopt dat Lenie Gerlings ook naar het dorpshuis komt, want misschien wil zij wel kermis met hem houden. Of niet? Zij is de dochter van een van de rijkste boeren van het dorp en bij zo'n meisje heeft een gewone boerenknecht weinig kans. Maar ja, vroeger hebben ze erg veel met elkaar opgetrokken, dus een keertje kermis vieren kan toch geen kwaad. Zo praat Teun zichzelf moed in, maar als Lenie niet

komt opdagen waagt hij het toch niet naar De Kooi te gaan om haar te vragen. Nee, dat durft hij niet en dat is wel jammer, want ze ziet er de laatste tijd erg mooi uit en als ze elkaar tegenkomen lacht ze altijd zo lief naar hem. Daatje windt hem op zoals laatst in het hooiland, maar hij krijgt bij haar geen vlinders in zijn buik. Bij Lenie wel en misschien is dat bij haar ook wel zo. Vroeger waren ze onafscheidelijk en zij wilde nog wel langer doorspelen dan hij, want op een gegeven moment begon hij dat nogal kinderachtig te vinden. Dat was ook de reden waarom hij Ons Kooitje, het huisje van paaltjes en zeildoek, met de grond gelijk maakte, zodat hij daar niet meer met Lenie in kon. Nu zou hij wel weer met haar op een stil plekje wil zitten. Niet om met haar te vrijen zoals met Daatje, maar om stil tegen elkaar aan te zitten met de armen om elkaar heen en lieve woordjes tegen elkaar te zeggen. Maar wat zit hij toch te piekeren. Lenie komt niet en het is over tien dagen al kermis.
'Wie wordt jouw kermismeid dan?' Gert kijkt zijn vriend vragend aan. Hij vindt het raar dat Teun zegt niet achter te kunnen blijven, maar met wie hij komt zegt hij niet.
'Ik denk dat ik Daatje Dullens vraag.'
'O, dan mag je wel opschieten, want dat is een lekker grietje en die zal niet overschieten; misschien is ze al gevraagd.'
'Nee, dat kan niet, want dan had ze het me wel verteld.'
'Ja, dat zal ze jou aan je neus hangen met wie ze kermis gaat houden,' lacht Gert. 'Kijk maar uit, als ik met Antje niet rond kom, dan ga ik misschien wel een kansje bij haar wagen.'
'Als je het maar laat. Desnoods stuur ik de hond van boer Van Es op je af.'
'O ja, dat vergat ik even; Daatje werkt bij jou op De Windhoek. Nou, succes dan maar. Volgende week hoor je wel of Antje met mij meegaat.'
'Dan weet ik ook of Daatje wil,' besluit Teun. En Daatje wil maar al te graag.
'Of je het nooit zou vragen,' verzucht ze als Teun er in de roeiboot op weg naar de afgelegen koebocht over begint.
'Had je erop gerekend dat ik je zou vragen?'
'Ja natuurlijk! Je weet toch dat ik graag met je meega. Ik vind het

fijn, hoor! Saampies lekker kermis vieren.' Ze kijkt hem met een guitige blik aan en ze slaat haar armen om zijn nek als hij haar uit de boot helpt. 'Hier, die heb je wel verdiend,' fluistert ze en drukt haar volle lippen op de zijne.
'Maar het is nu nog geen kermis; we moeten eerst nog even melken,' lacht hij. Gert heeft wel gelijk dat Daatje een lekker grietje is en ze is nog spontaan ook, maar verliefd is-ie niet op haar.

En dan staat het dorp weer op z'n kop, want de jaarlijkse kermis brengt de hele bevolking op de been. De jeugd is er al dagen vol van, maar ook de opgeschoten jongelui volgen de verrichtingen van de kermisklanten op de voet.
Teun en Daatje krijgen hun welverdiende kermisfooi en de boer en de boerin geven elkaar een knipoog als ze horen dat die twee kermis met elkaar gaan vieren. De boer denkt met enige weemoed terug aan zijn eigen jonge jaren en hij benijdt zijn knecht wel een beetje. Die Daatje is een mooie meid en na afloop van de kermis zullen die twee wel een stil plekje opzoeken. Hij zou zelf nog wel een keertje jong willen zijn.
Op het kermisterrein is het feest al in volle gang als Teun en Daatje er arriveren. Bij de draaimolen staan wat boeren druk te praten. Het lijkt wel of ze woorden hebben met de eigenaar van het spul. Als ze dichterbij komen zien ze wat er aan de hand is. Het paardje dat de draaimolen voortbeweegt is een mager scharminkel en de boeren schudden ontstemd hun hoofd. Ze vinden het een schande op die manier met een dier om te gaan en ze spreken er de eigenaar van de draaimolen ook op aan, maar die doet net of hij de boeren niet verstaat en gaat verder zijn gang. De kinderen trekken zich van het tumult niets aan en kijken alleen maar teleurgesteld als de bel onverbiddelijk het einde van het ritje inluidt.
Teun slentert met Daatje over het kermisterrein en als hij zijn kameraden ontmoet gaan ze hun krachten meten op de kop van Jut en bij het tonkneppelen. Daatje neemt het bij het koekslaan op tegen Lenie Gerlings en ze kijkt Teun triomfantelijk aan als ze wint, maar in plaats van haar te feliciteren met haar overwinning heeft hij slechts oog voor Lenie. Het stoort Daatje, maar ze zegt er niets van.

Voor de rijpere jeugd begint het feest pas goed na het avondeten. In Het Tappunt, de dorpskroeg van Leen Vos, is het feest al in volle gang als Teun er met Daatje binnengaat. Zijn kameraden zijn er al met hun kermismeiden en tot zijn verbazing, maar ook opluchting, ziet hij dat Lenie er met een vriendin is en dat er geen jongens bij zijn. Nou heeft hij er spijt van haar niet gevraagd te hebben.
'Kom je niet bij ons?' vragen de kameraden als Teun dicht bij Lenie Gerlings en haar vriendin gaat zitten. Hij schudt zijn hoofd en trekt een stoel bij voor Daatje.
'O, leuk dat je ook nog aan mij denkt,' zegt ze een beetje pinnig. Zij is met Teun uit, maar voor de tweede keer die dag schenkt hij meer aandacht aan Lenie dan aan haar. En dat blijft de rest van de avond zo. Aan de manier waarop ze naar elkaar kijken ziet zij dat die twee gek op elkaar zijn en wederom is ze hevig teleurgesteld. Teun zelf vergeet alles en iedereen om zich heen als hij met Lenie over de dansvloer schuift. Zij drukt zich innig tegen hem aan en lacht hem heel lief toe. Daatje ziet het met lede ogen aan en danst lusteloos in de armen van een jongen die geen kermismeid heeft. Zij kent het gezegde in de streek: Een kermismeid die hou je niet en een bruiloftsmeid die trouw je niet, maar ze had toch wel enige hoop dat ze zich vanaf vanavond het meisje van Teun zou mogen noemen. Het pakt helaas anders uit en als het feest afgelopen is, lopen ze zwijgend naast elkaar naar het fietsenhok waar Teun zijn fiets gestald heeft. Ze klimt bij hem achterop en eenmaal bij de hoeve aangekomen heeft ze geen zin om innig afscheid te nemen. In plaats daarvan is ze bokkig en gaat met een kort 'truste' naar haar kamertje. Haar droom is in duigen gevallen en ze voelt zich ook vernederd. Dit had ze van Teun Boekhoven niet verwacht.
Als Teun zich uitgekleed heeft en in bed ligt, voelt hij precies aan waarom Daatje zo afstandelijk deed. Hij schaamt zich ervoor nauwelijks aandacht aan haar besteed te hebben. Daatje is een lief en mooi meisje en hij heeft haar gevraagd kermis met hem te houden, maar in plaats van het haar naar de zin te maken, had hij alleen oog voor Lenie Gerlings. En toch kon hij niet anders. Lenie zag er zó lief uit en toen ze met hem danste drukte ze zich innig tegen hem aan. Aan de manier waarop zij hem aankeek zag hij dat

ze het heerlijk vond. Hij zelf ook. Dat zij voor hem een onbereikbaar doel is, beseft hij maar al te goed, maar toch kan hij haar niet uit zijn gedachten zetten. Vroeger gingen zij met elkaar om als kameraadjes, speelden ze vadertje en moedertje in Ons Kooitje. Maar die tijd is voorbij. Nu koestert hij andere gevoelens voor haar en zij kennelijk voor hem. Dat laatste klopt ook wel, want in haar slaapkamer in De Kooi heeft Lenie op datzelfde moment ongeveer gelijke gedachten.
Lange tijd had zij de stille hoop dat Teun haar zou vragen voor de kermis, maar ze begrijpt nu wel waarom hij het niet gedaan heeft. Niet omdat hij het niet graag wilde, maar omdat hij wel aanvoelt dat zij niet bij elkaar passen. Als kind kon ze risicoloos met Teun omgaan, maar nu zou haar vader zeker bezwaar hebben tegen welke omgang dan ook. Een gewone boerenknecht, hoe lief en knap ook, is voor haar vader niet acceptabel. Alle rijkdom zou haar gestolen kunnen worden als zij maar met Teun zou kunnen gaan verkeren. Ze komt tot de conclusie dat ze altijd al van hem gehouden heeft. Eerst op een kinderlijke manier en nu met heel haar jongemeisjeshart dat sneller gaat slaan als ze hem ziet. Een heerlijk gevoel was het zo dicht tegen hem aan te dansen. Jammer dat Daatje erbij was en al die andere mensen. Ze zou hem graag voor zich alleen gehad hebben, maar dat kon helaas niet. Eerst was ze wel jaloers op Daatje, maar toen ze merkte dat Teun meer aandacht aan haar besteedde dan aan zijn eigen kermismeid, vond ze het plotseling zielig voor het meisje. Niet zo netjes van Teun, maar het bewijst des te meer hoe gek hij op haar is.
Als ze de volgende morgen wakker wordt, ligt ze met haar hoofdkussen in haar armen en herinnert zij zich vaag van Teun gedroomd te hebben. Jammer toch dat dromen bedrog zijn, bedenkt ze voordat ze uit bed stapt om haar moeder te gaan helpen.

Op woensdagavond heeft Lenie naailes. Teun heeft dat goed in zijn oren geknoopt toen zij het hem op de kermisavond vertelde. Die woensdag gaat hij 's avonds eerst naar huis en daar wordt nog wat nagepraat over de kermis. Maar tegen halfnegen zit hij wat onrustig op zijn stoel te draaien en af en toe naar de klok te kijken.

'Moet je nog ergens heen?' vraagt moeder Maartje, maar Teun schudt zijn hoofd.
'Nee, dat niet, maar morgen is het weer vroeg dag en dus wil ik bijtijds naar bed.'
'O.' Maartje neemt het voor kennisgeving aan, maar een beetje vreemd vindt ze het wel. Teun moet, net als Siem, iedere morgen vroeg op. En dan moet ze glimlachen en denkt ze wel te weten waarom haar jongen zo'n haast heeft. Hij heeft kermis gehouden met Daatje Dullens en die wil hem vast nog wel een nachtzoentje geven. Ja, kleine kinderen worden groot. Achttien wordt hij binnenkort al. Wat gaat de tijd toch vlug! 'Doe Daatje maar de groeten van ons,' lacht ze als ze even later afscheid van hem neemt.
'Dat zal ik doen.' Hij zegt het wel, maar of hij het ook werkelijk doet staat nog te bezien. Na de kermisavond ontloopt Daatje hem en hij begrijpt best waarom. Hij moet haar nodig zijn excuses maken, maar zover is hij nog niet durven gaan. Wel een beetje laf. Moe weet dat hij kermis met Daatje gehouden heeft en zij denkt natuurlijk dat het nog een beetje aan is. En dat is het niet, integendeel, hij heeft heel andere plannen. Vlug springt hij op zijn fiets en rijdt naar het dorpshuis, want daar weet hij Lenie. De naailes is bijna afgelopen en hij wil haar nog even zien. Na de kermisavond is zij nog geen minuut uit zijn gedachten geweest.
Het begint al te schemeren als de meisjes naar buiten komen. Enkele meisjes die wat verderweg wonen, zijn op de fiets en een van hen is Lenie. Hij wil door de andere meisjes niet gezien worden en dus houdt hij zich een beetje schuil en volgt Lenie even later op een afstandje. Als ze de bosrand nadert roept hij haar en verbaasd kijkt ze om. 'O, ben jij het?' zegt ze verrast en ze houdt meteen in.
'Mag ik een eindje met je mee fietsen?'
'Ja, natuurlijk! Maar waar kom jij nou ineens vandaan?'
'Je hebt me verteld dat je vanavond naailes zou hebben en dat heb ik goed in mijn oren geknoopt.'
'En nu kom je me verrassen,' concludeert ze en Teun knikt.
'Vind je het leuk?'
'Ja, maar het is wel jammer dat ik al naar huis moet.'
'Je hebt toch wel een kwartiertje tijd? Laten we een rustig plekje

opzoeken dan kunnen we nog even napraten over de kermis.'
Aldus wordt besloten en een rustig plekje is gauw gevonden, waarna ze naast elkaar in het gras ploffen.
'Hier kunnen we rustiger praten dan tijdens het dansen,' zegt Teun en Lenie knikt. Ze kijkt hem met een zachte blik in haar ogen aan en als hij wat dichter naar haar toe schuift en een arm om haar schouder slaat, vlijt ze haar blonde koppie tegen hem aan en vraagt of hij het fijn vond om met haar te dansen.
'Ja, heel erg fijn, en jij?'
'Ik ook, maar ik was eerst wel een beetje jaloers op Daatje.'
'Liever had ik met jou afgesproken, maar eerlijk gezegd durfde ik niet zomaar naar De Kooi te komen om je te vragen; ik denk dat je vader het niet goedgevonden zou hebben.'
'Daar kun je weleens gelijk in hebben, Teun. Jammer, hè?'
'Ja, dat vind ik ook jammer. Na de kermisavond ben jij geen minuut uit mijn gedachten geweest, Lenie.'
'Bij mij is het precies hetzelfde. Vroeger konden we zo vaak met elkaar omgaan als we wilden, maar nu is het anders.'
'We zijn geen kinderen meer, meissie.' Teun drukt haar wat dichter tegen zich aan en dan kijken ze elkaar diep in de ogen. 'Je bent lief,' fluistert hij.
'Jij ook!' En dan tuit ze haar lippen en hij drukt er voorzichtig een kusje op. 'Gek dat we nou ineens zitten te zoenen,' zegt ze, hem verbaasd aankijkend. 'Dat hebben we nog nooit gedaan.' Zij moet er even aan wennen dat ze nu de volwassenheid naderen en daarmee de kindertijd definitief afgesloten hebben. Teun is ook de eerste jongen die ze kust. Ze zegt het ook en dan sluit Teun haar in zijn armen en overdekt haar lieve gezichtje met innige kusjes.
'Jij was mijn speelkameraadje, maar nu ben je mijn lieve meisje,' zegt hij zacht en dan sluiten hun monden op elkaar in een schier eindeloze kus.
'Jij bent mijn lieve jongen,' fluistert ze als zij zijn mond even loslaat. 'Maar ik wil je niet meer verliezen, Teun,' steunt ze en dan komen er tranen in haar ogen. 'Als ik thuis vertel dat ik met jou heb zitten zoenen, dan wordt mijn vader woest. Hoe moet het nou verder?'

'Zeg thuis maar niks, schatje. Laten we elkaar na de naailes voorlopig maar stiekem ontmoeten, want ik kan jou ook niet meer missen, hoor!'
Met nog een lange kus nemen ze afscheid en beloven elkaar na de volgende naailes op dezelfde plek weer te zullen ontmoeten.

Als Teun achttien wordt, weet hij dat Lenie op diezelfde dag ook jarig is. Het verhaal van de gelijktijdige bevalling van moe en de moeder van Lenie is hem vaak verteld en ook dat Lenie een uurtje ouder is dan hij. Het is toevallig zondag en hij zou best even naar De Kooi willen fietsen om Lenie te feliciteren, maar bij nader inzien doet hij dat toch maar niet. Ze zoeken er misschien iets achter en vooralsnog wil hij hun wekelijkse ontmoetingen na de naailes geheimhouden.
Thuis wordt hij verrast met cadeautjes van moeder en Truitje, die toevallig ook haar vrije zondag heeft. Ze is dagmeisje bij de vrouw van de meelhandelaar en voor dat baantje heeft opa Teun, die er werkt, gezorgd.
'Op De Kooi is het vandaag ook feest,' herinnert moeder Maartje zich en nogmaals haalt ze de geschiedenis van de bijna gelijktijdige bevalling op. 'Lenie is een uurtje ouder dan Teun en dat wilde ze weten ook. Teun en zij waren als kinderen onafscheidelijk, maar als er beslissingen genomen moesten worden dan was zij met haar uurtje ouder de baas, hè Teun?'
'Het zal wel; ik herinner het me allemaal niet meer,' liegt hij. Nu over Lenie praten wil hij liever niet.
'Zie je haar eigenlijk nog weleens?'
'Nou ja... nee... of, eh...' Hij zit maar wat te hakkelen, want hij weet niet goed hoe hij op de vraag van zijn moeder moet reageren en hij krijgt ook een kleur.
'Hij is verliefd op haar, hoor!' lacht Truitje plagerig. 'Ik heb echt wel gezien hoe innig je met haar danste op de kermisavond.'
'Niet zo plagen, Truitje!' reageert Maartje. Ze begrijpt de opmerking van Truitje en de reactie van Teun eigenlijk niet goed. Teun heeft kermis gevierd met Daatje Dullens en kort na de kermis had hij 's avonds haast om terug op De Windhoek te zijn, want daar wachtte Daatje hem op, althans dat vermoedde ze. Zou hij iets

hebben met Lenie? Ze hoopt het niet, want tussen die twee kan het nooit iets worden. Zij de dochter van een rijke boer en hij? Ja, ook het kind van een rijke boer, maar dat mag niemand weten. Toch is het goed mogelijk dat Teun het enige kind van Henk zal blijven, want bij Corrie zal hij nooit kinderen kunnen maken. Nu zeker niet meer, want zij verzwakt steeds meer. Corrie is altijd al een kasplantje geweest, maar nu gaat ze steeds verder achteruit. Dokter Kronestijn begint steeds bedenkelijker te kijken als hij langskomt. Ze vreest dat Henk zich zal moeten voorbereiden op het ergste.

HOOFDSTUK 8

Als de kerkklokken op een mistige ochtend in maart hun doffe klanken over de omgeving uitstrooien, weten de dorpelingen dat er op Madezicht een sterfgeval is. De boerin van deze machtige hoeve is, achtendertig jaar oud, van uitputting gestorven. Onverwacht komt dit overlijden niet, want iedereen weet hoe slecht haar gezondheid was.
Als meisje was Corrie Terlinge al erg broos en velen hebben zich destijds afgevraagd waarom uitgerekend de levenslustige en gezonde Henk Cromhout met dat meisje moest trouwen. Waarschijnlijk speelde geld de belangrijkste rol, maar eens te meer wordt bewezen dat geld niet gelukkig maakt. Ze hebben te doen met boer Henk Cromhout, die pas achter in de dertig is en nu al weduwnaar.
'Corrie is vanmorgen vroeg overleden, Maartje,' zegt Siem als hij die ochtend even naar huis komt om zijn vrouw het droeve nieuws te melden.
'Is het kind eindelijk uit haar lijden?' Maartje schrikt van het bericht, maar tegelijkertijd is het een opluchting voor haar. Vooral de laatste tijd heeft ze heel wat uurtjes aan het ziekbed van Corrie doorgebracht en haar, tegen beter weten in, moed ingesproken. Maar in plaats van te vechten tegen haar slopende ziekte liet zij de moed steeds meer zakken en op het laatst was het wel duidelijk dat ze naar het einde verlangde. 'Denk je dat ze mijn hulp daar nog kunnen gebruiken, Siem?'
'De twee oudere zusters van Henk zijn gekomen en ik denk dat die het, samen met Dien, wel redden.'
'Ja, als die er zijn is mijn hulp niet nodig. Ik ga er over een uurtje wel even heen om Henk en zijn zusters te condoleren.' Als ze er een uur later is, hoort ze dat er de volgende avond gelegenheid is om afscheid te nemen en te bidden.
Drie dagen later is de rouwmis en de begrafenis. De kerk is vol, want de boerin van Madezicht was niet de eerste de beste. Pastoor Huibrechts spreekt gevoelige woorden. 'Zij was lichamelijk ziek, maar geestelijk heel sterk. Daarvan heeft ze tijdens mijn bezoeken aan haar vele malen blijk gegeven,' zegt hij en degenen die haar

goed gekend hebben, waaronder Maartje, knikken. Ze zijn het met meneer pastoor eens.

In de scheerwinkel van Theo de Waard zijn die zaterdagavond de dood en de begrafenis van Corrie Cromhout de onderwerpen van gesprek. Maar Corrie was tijdens haar leven een ziek vogeltje, dus over haar zijn ze gauw uitgepraat. De aandacht van de scheerklanten richt zich voornamelijk op weduwnaar Henk Cromhout.
'Hoe oud is Henk eigenlijk?' wil smid Cor Duinstee weten.
'Even oud als Corrie en die is achtendertig geworden,' weet koster Joop Dam.
'Nog een jonge vent en dan al weduwnaar, maar volgens mij blijft hij niet lang alleen,' meent de smid. 'Het is een leuke kerel en hij bulkt van de centen, dus de vrouwtjes zullen wel in de rij staan.'
'Welke vrouwtjes?' vraagt de kapper. 'Alle vrouwen van zijn leeftijd zijn getrouwd en boerin op statige hoeven. Een jonge weduwe is er op het dorp niet.'
'O nee? En Toos Barnhoorn dan?' De smid kijkt de kapper uitdagend aan, maar die schudt zijn hoofd en hij vindt de koster aan zijn zijde.
'Jij denkt toch niet dat Henk met een weduwe die geen cent te makken heeft, trouwt,' zegt die en de anderen zijn het met Joop Dam eens. Maar diezelfde Joop Dam denkt dat er voor Henk nog wel andere mogelijkheden zijn. Hij wendt zich tot de smid en zegt: 'Jij zegt zelf dat Henk een leuke kerel is en ik voeg er nog aan toe dat hij er jonger uitziet dan hij in werkelijkheid is.'
'Maar wat wil je daar dan mee zeggen?' wil de smid weten en dat wil de koster graag vertellen. 'Jullie vergeten dat er genoeg jonge meiden zijn, waaronder stevige boerendochters, die het graag met Henk zullen proberen.'
'Man, laat naar je kijken, daar is-ie toch veel te oud voor,' meent de smid, maar de koster blijft bij zijn standpunt.
'Heb jij Henk de laatste jaren op de dansavonden van de kermissen meegemaakt?'
'Nee, daar ben ik nou weer te oud voor,' lacht de smid.
'Nou, ik wel! Corrie was te ziek om met hem mee te gaan, maar Henk danste dat de stukken er vanaf vlogen.'

'Overdrijf niet zo, Joop,' lacht de kapper, maar de koster schudt zijn hoofd. 'Ik overdrijf niet; de jonge meiden lieten zich maar wat graag door hem meevoeren in een wilde polka, want Henk is een goed danser.'
En zo praten ze nog een poosje door en zelfs de klanten die al geknipt en geschoren zijn, blijven nog even hangen, want het onderwerp is boeiend genoeg. Henk Cromhout is een van de belangrijkste boeren van het dorp en daarom is het interessant genoeg om te gissen naar zijn toekomstplannen, maar het blijft bij gissen, want ze komen er niet uit.

Wie er ook niet helemaal uit komen zijn Teun Boekhoven en Lenie Gerlings. Sinds ze elkaar op een stil plekje achter de bosrand innig hebben gekust, ontmoeten ze elkaar bijna wekelijks na afloop van de naailes van Lenie. Gedurende de wintermaanden was het te koud om dat plekje op te zoeken, maar altijd vonden ze wel wat beschutting om elkaar even te knuffelen en te kussen.
Nu de lente al enkele weken oud is en het weer zich af en toe van zijn beste kant laat zien, kunnen ze na afloop van de naailes weer wat langer samen blijven. Hun liefde is in de achterliggende maanden verder gegroeid, maar ze kunnen er helaas niet onbezorgd van genieten. Ze moeten er in de eerste plaats voor zorgen dat hun ontmoetingen onopgemerkt blijven, want als vader Jan Gerlings erachter zou komen dan zouden de rapen echt gaar zijn. Geen haar op zijn hoofd die eraan denkt zijn dochter te laten verkeren met een eenvoudige knecht en zowel Lenie als Teun weten dat. Ze hebben het er een enkele keer over, maar dan drukt Lenie haar hand op de mond van Teun en zegt er niet over te willen praten.
Het is op een mooie avond in de tweede week van mei dat ze hun oude plekje weer eens kunnen opzoeken. 'Dit is beter dan afscheid te nemen in de kou en staande naast onze fietsen, schatje,' zegt Teun, zijn lieve meisje op zijn knie trekkend. 'Maar hoe vaak zullen we ons nog moeten verstoppen?'
'Laten we daar nu niet aan denken, lieverd.' Lenie drukt zich onstuimig tegen hem aan, neemt zijn hoofd tussen haar handen en kust hem lang en innig op zijn mond. Zuchtend laat ze hem los en dan ziet Teun tranen in haar ogen.

Wat is er nou, schatje?'
Ik word er zo verdrietig van als ik bedenk dat ik waarschijnlijk iet altijd bij jou kan blijven. Ik wilde er eigenlijk niet over pra- en, maar ik merk aan jou dat jij het er ook moeilijk mee hebt.'
Natuurlijk heb ik het er moeilijk mee. Ik hou zielsveel van je, naar niemand mag het weten. Zelfs thuis kan ik er niet over pra- en.'
En ik helemaal niet! Als pa weet dat ik met jou omga, zet hij me et huis uit of hij sluit me op, een van de twee.'
Als-ie je het huis uit zet, kom je maar bij mij.'
Op je zolderkamertje in De Windhoek?' Ze lacht door haar tra- en heen en schudt haar hoofd. 'En als-ie me opsluit?'
Dan kom ik je bevrijden en bouw een huisje voor ons tweetjes en at noemen we dan Ons Kooitje.'
Waren we nog maar kinderen,' zucht ze.
Maar toen we nog jong waren heb ik Ons Kooitje juist afgebro- en, omdat ik het te kinderachtig vond er met jou in te zitten! Toe, ach eens tegen me, lieveling. Ik kan er niet goed tegen jou met ranen in je ogen te zien.' Hij neemt haar in zijn armen en in plaats an te praten kussen ze elkaar en fluisteren elkaar lieve woordjes oe. Tot het tijd is om op te stappen, want te laat thuiskomen leidt oor haar ook weer tot moeilijk te beantwoorden vragen. Maar oordat ze uit elkaar gaan herinnert ze hem nog aan de uitvoering an de zangvereniging. Al een hele poos is zij lid van zangver- niging Het Madeliefje onder leiding van meester Fijma.
Je komt toch wel,' neemt zij aan en Teun knikt.
Ik vraag mijn ouders om mee te gaan. Er is hier in het dorp niet eel te doen en als er dan een uitvoering van de zangvereniging s, zullen ze het best leuk vinden om te komen,' veronderstelt hij.
En die zondag daarop begint hij er thuis over.
Hebben jullie gehoord dat er op 17 juni in het dorpshuis een uit- voering van zangverening Het Madeliefje is?' vraagt hij in het lgemeen en Truitje knikt.
Ik ben wel van plan om erheen te gaan. Mijn vriendinnetjes had- len het erover, maar van wie heb jij het dan gehoord, Teun?'
Op De Windhoek hadden ze het erover,' liegt Teun. Hij durft niet e zeggen dat hij het van Lenie gehoord heeft.

'En ga jij er zelf heen?' wil Truitje nog weten en dan haalt hij zij schouders op.
'Ik weet het nog niet, maar het lijkt me wel leuk. Gaan jullie oc mee?' Met zijn vraag richt hij zich tot zijn ouders.
'Vanwaar plotseling jouw belangstelling voor de zangveren ging?' vraagt vader Siem lachend. Truitje antwoordt in zijn plaa en giechelt dat Lenie Gerlings lid is van Het Madeliefje en d haar broer een oogje op haar heeft.
'Begin je weer!' bromt Teun en hij vindt steun bij zijn moeder di haar dochter een standje geeft dat ze niet mag plagen, maar z moet toch nadenken over haar opmerking.
'Heeft Truitje gelijk dat jij een oogje op Lenie hebt, Teun?' vraag ze als ze wat later even alleen is met haar zoon.
'Ik?' Teun kijkt zijn moeder alleen maar aan zonder haar vraa te beantwoorden. In plaats daarvan denkt hij na. Hij moet zij gevoel voor die lieve Lenie toch met iemand kunnen delen e met wie zou dat beter gaan dan met zijn eigen moeder? Zo gek i het toch niet dat hij en Lenie verliefd op elkaar geworden zijn Als kinderen huilden ze al als de visite afgelopen was en ze u elkaar gehaald werden. Van kinderlijke genegenheid werd he kalverliefde en nu kunnen ze elkaar niet meer missen. Wat da laatste betreft is er dus ten opzichte van vroeger niet veel vera derd.
'Voor mij heb je toch geen geheimen, jongen,' veronderste Maartje als Teun haar vraag niet meteen beantwoordt.
'Je hebt gelijk, moe. Ik zou het wel van de daken willen schreeu wen dat ik van Lenie hou, als er voor ons maar een toekomst zo zijn, maar die is er helaas niet.'
'En hoe denkt Lenie daarover?'
'Die houdt evenveel van mij als ik van haar.'
'Ontmoeten jullie elkaar af en toe?'
'Bijna iedere week na afloop van haar naailes.'
'Maar je zegt zelf dat er voor jullie samen geen toekomst is, jon gen. Zou het dan niet verstandiger zijn er nu een punt achter t zetten in plaats van stiekem door te modderen?' Ze zegt het wel maar ze weet uit eigen ervaring hoe moeilijk dat is en Teun beves tigt het.

'Ik kan het niet en Lenie nog minder. Ze is al in tranen als ze alleen maar aan de mogelijkheid denkt.'
'Maar Lenie begrijpt toch ook wel dat het niet kan duren.'
'Dat is ook zo; ze is zelfs bang dat haar vader haar het huis uit zet of opsluit als hij hoort dat ze met mij omgaat.'
'Dat wil jij dat meisje toch niet aandoen, jongen. Jij kent de gewoonte in de streek dat een rijke boerendochter moet trouwen met de zoon van een rijke boer.' Terwijl ze het zegt denkt ze na over haar eigen uitspraak. Teun ìs de zoon van een van de rijkste boeren van het dorp, maar niemand mag het weten. Haar eigen wereld zou instorten als het bekend zou worden.
'Ik weet het wel, moe, en Lenie weet het ook, maar we willen het gewoonweg niet accepteren.'
'Het zal toch moeten, jongen, en jij moet de verstandigste zijn. Hoe langer jullie met elkaar doorgaan, des te moeilijker het zal worden afstand van elkaar te doen als de vader van Lenie met een vrijer voor haar op de proppen komt.'
'Je hebt gelijk, maar...' Wat hij verder wil zeggen laat zich raden maar wordt niet meer uitgesproken, want vader Siem komt binnen omdat het tegen etenstijd loopt.

Een pamflet in een glazen kastje aan de muur van het dorpshuis vermeldt dat er op 17 juni een uitvoering is van zangvereniging Het Madeliefje en dat het optreden om 19.30 uur begint en vermoedelijk om 21.00 uur zal zijn afgelopen. Laat kunnen ze het in dit boerendorp niet maken, want het is voor de meeste dorpelingen om deze tijd van het jaar elke morgen vroeg dag.
Siem Boekhoven heeft zich door vrouw en dochter laten verleiden mee te gaan en zo is de hele familie Boekhoven op die avond aanwezig in het dorpshuis. De eerste die Maartje tegen het lijf loopt is Kee Gerlings, de moeder van Lenie. 'Laten we bij elkaar gaan zitten, Maartje,' zegt ze. 'Vroeger zagen we elkaar bijna wekelijks, maar nu de kinderen groot zijn, bijna niet meer. Lenie treedt op, hoor! O, daar komt Teun ook. Kom erbij zitten, jongen.' De boerin van De Kooi is erg hartelijk, maar Teun bedenkt dat die hartelijkheid weleens over zou kunnen zijn als zij wist met welke intentie hij naar deze uitvoering gekomen is.

Precies om halfacht gaat het gordijn open en verwelkomt meester Fijma de belangstellenden. 'Het doet me goed velen van mijn oud-leerlingen in de zaal te zien,' zegt hij en dan moeten de mensen een beetje lachen. Meester Fijma is al ruim dertig jaar onderwijzer op de dorpsschool en dus hebben alle aanwezigen van veertig jaar en jonger bij hem in de klas gezeten. Er zijn ook veel vrouwen die als meisje lid zijn geweest van de zangvereniging en ook daar de meester hebben meegemaakt. Ja, voor de dorpsgemeenschap is meester Hans Fijma een belangrijk man.
En dan komen de meisjes het toneel op en neemt de meester plaats achter het orgel. Op zijn teken zetten ze het eerste lied in en dat klinkt al meteen erg mooi. Teun kijkt meer dan dat-ie luistert en hij heeft slechts oog voor Lenie. Eigenlijk vindt hij het jammer dat haar moeder in de zaal zit. Na afloop had hij haar graag opgewacht, maar nu gaat ze natuurlijk met haar moeder mee terug naar huis. Toch krijgt hij haar nog van dichtbij te zien, want in de pauze komt ze even naar haar moeder en natuurlijk groet ze ook de familie Boekhoven vriendelijk. Voor Teun is het wel erg vreemd zo dicht bij zijn lieve meisje te zijn en dan net te doen of zij niet meer dan een kennisje is. Aan het gezicht van Lenie ziet hij dat zij het ook lastig vindt. Ze praat maar druk met deze en gene en neemt hun complimenten met een glimlach in ontvangst.
'Vermaak jij je nogal, Teun?' vraagt ze plotseling en dan weet Teun even niet hoe hij moet reageren. Hij knikt maar en zegt datie het mooi vindt.
'Hij is speciaal voor jou gekomen, hoor!' flapt Truitje eruit en dat levert haar een vermaning van haar moeder op, maar Kee zegt dat ze dat niet zo vreemd vindt. 'Vroeger waren ze onafscheidelijk, dus zo gek is het niet dat Teun eens komt kijken hoe zij het er vanaf brengt.'
'Dat vind ik ook, hoor!' reageert Lenie en ze kijkt haar moeder met een dankbare blik aan. Er gloort bij haar wat hoop dat haar moeder het misschien niet zo erg zou vinden als ze wist van hun innige omgang.
Dat die hoop ijdel is, zal pas veel later blijken.

Ooit beschouwde Gonda Cromhout, de tien jaar oudere zus van Henk, zichzelf als de tweede moeder van haar broertje, het onverwachte nakomertje op Madezicht. Haar oudere zuster Mien trouwde toen Henkie negen was. De boerin kreeg het toen nog wat drukker en Gonda had zodoende de gelegenheid haar broertje te bemoederen. Zelf was ze toen al negentien en omdat ze niet moeders mooiste was, stonden de jongens niet te dringen. Als dochter van de rijke boer Gerrit Cromhout was ze overigens wel een aantrekkelijke partij. Toch duurde het nog tien jaar voordat ze de ware Jacob ontmoette in de persoon van de rijke weduwnaar Jaap Potman. Kort voordat Henk trouwde met Corrie Terlinge, trouwde zij met Jaap en werd boerin op een hoeve die qua grootte niet veel onderdoet voor Madezicht.
Zelf is ze gelukkig in haar huwelijk en daarom ook had ze al steeds te doen met Henk, want het huwelijk met de ziekelijke Corrie Terlinge was geen succes. Nu hij al geruime tijd weduwnaar is, trekt ze zich het lot van haar broer steeds meer aan. Ze vindt dat hij alsnog de kans moet krijgen gelukkig te worden met een jonge vrouw, maar geschikte partijen zijn dun gezaaid. Onder de kinderen van daggelders en knechten zullen er best jonge vrouwen van rond de twintig zijn die een huwelijk met de rijke en nog jeugdig ogende Henk Cromhout zien zitten, maar Gonda wil er niet aan bijdragen het kapitaal van Madezicht te versnipperen.
Ze bespreekt het onderwerp met haar man Jaap, die, na de dood van zijn eerste vrouw, in hetzelfde schuitje zat als Henk nu. Beiden zijn ze goed bevriend met Jan en Kee Gerlings en ze vragen zich hardop af of hun dochter Lenie geen goede partij voor Henk zou zijn. Afgesproken wordt dat ze bij Jan en Kee op bezoek gaan om over het onderwerp te praten.

'Je zei dat je een belangrijk onderwerp met ons te bespreken hebt, Gonda,' zegt Jan Gerlings als hij zijn gasten ontvangt. 'Je hebt me nieuwsgierig gemaakt, maar laten we eerst rustig de tijd nemen om koffie te drinken en de laatste nieuwtjes uit te wisselen, want het is al een poos geleden dat we elkaar gesproken hebben.'
Jaap Potman en Jan Gerlings zijn gezeten boeren en ze delen hun belangstelling op vele onderwerpen. Ze zitten ook beiden in de

besturen van verenigingen in het dorp. Bovendien biedt de wekelijkse veemarkt in de stad voldoende stof tot uitwisseling van gegevens, maar als het over de prijzen van hun beider veestapel gaat, stelt Jan lachend voor maar over te stappen op het onderwerp waar zijn bezoekers voor komen. Ze gunnen elkaar de winst, maar handel is handel!
'Laat ik het dan maar zeggen, Jan, want het gaat tenslotte over mijn broer,' zegt Gonda. Gebruikelijk in de boerengemeenschap is dat de mannen belangrijke onderwerpen bespreken, maar in dit geval vindt ook Jaap het beter dat zijn vrouw het woord neemt.
'Gaat het over Henk?' vraagt Kee, ze begrijpt niet goed welk belangrijk onderwerp dat met Henk Cromhout te maken heeft, Gonda met hen wil bespreken. 'Gaat het niet goed met je broer of is er iets met Madezicht?'
'Er is niks aan de hand met de hoeve, maar met Henk ging het nooit goed en nu nog minder. Jij weet als geen ander, Kee, dat Corrie te ziekelijk was om een echte vrouw voor mijn broer te zijn. Henk met zijn gezonde gestel en levenslust is de verkeerde vrouw door mijn vader opgedrongen. Corrie kon er niets aan doen, want zij was een lief vrouwtje en Henk is ook echt goed voor haar geweest, maar, zoals ik al zei, het was geen echt huwelijk.'
'Dat ben ik allemaal met je eens, Gonda, maar wat hebben wij daarmee te maken?'
'Alles, Kee! Henk is een vent van achter in de dertig en je zult het met mij eens zijn dat hij er nog erg jeugdig uitziet. Hij is geen man om alleen te blijven. Ik gun hem, na alle ellende met Corrie, een nieuw leven met een jonge vrouw en daarom zijn wij hier. Voor jullie dochter Lenie zoeken jullie ongetwijfeld een goede, kapitaalkrachtige partij. Welnu, mijn broer Henk voldoet in alle opzichten aan dat profiel.
'Ja, als je het zo zegt.' Kee Gerlings is wat overdonderd door de woordenvloed van Gonda Potman, maar ze kent Henk Cromhout niet alleen als een kapitaalkrachtige partij, maar ook als een wat losbandige levensgenieter. Zij en Henk schelen niet zoveel en zij heeft hem ook gekend voordat hij trouwde met Corrie Terlinge. Ze moet heel erg aan het idee wennen en vraagt zich af of Henk

Cromhout nou echt iets voor Lenie is. Voordat Gonda erover begon heeft ze er zelf nooit aan gedacht en het blijkt dat ze daarin niet alleen staat.
'Aan hetgeen jij nu voorstelt heb ik, eerlijk gezegd, nooit gedacht, Gonda,' zegt Jan Gerlings. 'En dat is ook niet zo verwonderlijk, want Henk is dubbel zo oud als Lenie. Hij mag er dan erg jong uitzien, het leeftijdsverschil poets je niet zomaar weg.'
'Maar vind jij het niet belangrijk dat de belangen van Madezicht en De Kooi verenigd worden, Jan?' vraagt Jaap Potman en dat kan Jan Gerlings niet ontkennen.
'De vraag stellen is haar beantwoorden, Jaap. Natuurlijk vind ik dat belangrijk en Kee ook, nietwaar Kee?'
'Dat natuurlijk wel, maar ik heb er toch wat moeite mee, Jan. Normaal gesproken laat ik het graag aan jou over een goede partij voor Lenie te zoeken, maar doen we hier goed aan? Henk zou haar vader kunnen zijn.' Kee Gerlings is een boerin in hart en nieren en ze is opgegroeid met de gewoonte in de streek dat geld met geld trouwt, maar nu het om haar eigen dochter gaat, reageert ze toch wat terughoudend op het voorstel van Gonda Potman.
'Ik vind dat we Gonda en Jaap er dankbaar voor moeten zijn dat ze in eerste instantie aan ons gedacht hebben, Kee,' reageert Jan. 'Kun jij een betere partij voor ons kind in dit dorp noemen, vrouw?'
'Nee, dat niet, maar ik vind het leeftijdsverschil zo groot.'
'Dat een man ouder is dan een vrouw is toch geen probleem, Kee. Het gaat erom dat ze het samen kunnen vinden en tussen Lenie en Henk zie ik geen problemen.' Jan Gerlings is duidelijk ingenomen met het voorstel van Gonda en Jaap Potman. Voor zijn dochter kan hij zich geen betere partij indenken. 'Maar wat vindt Henk er zelf van?' wil hij nog weten en dan blijkt dat er met Henk nog niet over gesproken is.
'We wilden eerst jullie reactie op ons voorstel hebben voordat we Henk blij maken met een dooie mus,' zegt Gonda en dat begrijpen Kee en Jan.
'Praten jullie dan eerst met Henk en laten we afspreken dat wij, als we over drie dagen geen tegenbericht van jullie ontvangen

hebben, met Lenie praten,' besluit Jan en daar gaan zowel Kee als Gonda en Jaap mee akkoord.

'Ik dacht dat Jan en Kee Gerlings wel wat toeschietelijker zouden zijn,' vindt Gonda als zij en Jaap thuis zijn. 'Al die bedenkingen over leeftijdsverschil en zo vind ik nogal overdreven. Madezicht is een stuk groter dan De Kooi en dan zoveel poeha!' Gonda is een beetje in haar wiek geschoten, maar Jaap is wat milder in zijn oordeel.
'Jan zei toch eerlijk dat ze ons dankbaar zijn dat we in eerste instantie bij hen komen met ons voorstel, dus je moet niet te hard van stapel lopen, Gonnie.'
'Goed, je hebt misschien wel gelijk, maar het gaat over Henk en jij weet wat ik voor hem voel.'
'Of ik het weet,' lacht Jaap. 'Soms lijkt het wel of het je eigen kind is.'
'Vind je het gek? Toen Henkie geboren werd was ik al tien en als peuter hing hij nog meer aan mij dan aan moe.'
'Maar nu is het een volwassen kerel en met Lenie scheelt hij geen tien, maar bijna twintig jaar. Hij zal zelf moeten beslissen of hij het met dat meisje aandurft. Een tweede teleurstelling zal hij zichzelf wel willen besparen. Bekijk het ook eens van zijn kant, Gonnie.'
'Natuurlijk moet Henk het zelf willen. Laten we morgenavond maar met hem gaan praten.'

'Dat is sterk!' reageert Henk verrast als zijn zuster en haar man de volgende avond bij hem binnenlopen. 'Ik heb vandaag wel drie keer aan jou gedacht, Gonnie, en nou sta je plotseling voor mijn neus.'
'Jij hebt aan mij gedacht, omdat je aanvoelde dat ik met een plezierige boodschap zou komen.'
'Loop nou niet meteen op het verhaal vooruit, Gon,' zegt Jaap een beetje kribbig. 'Vertel Henk nou eerst eens rustig wat we gisteravond besproken hebben en laat het dan aan hem over of hij dat plezierig vindt of niet.' Het is niet de eerste keer dat Jaap Potman zijn vrouw moet afremmen als ze iets in haar hoofd heeft en haar zin wil doordrijven.

Jullie maken me nieuwsgierig,' lacht Henk. Hij heeft er geen flauw idee van wat zijn zuster hem te vertellen heeft, maar dat het maar hoog zit, weet hij wel zeker. Daarvoor kent hij haar te goed.

'Vertel me maar wat jullie gisteravond besproken hebben, Gonnie.'

'We hebben iets besproken wat te maken heeft met jouw toekomst, Henk. Jij bent nu al meer dan een jaar weduwnaar en wij denken dat het goed voor jou zou zijn weer aan trouwen te denken.'

'Of dat zo goed voor me is, staat te bezien,' lacht Henk. 'Maar wat is je verhaal?'

'Wij denken dat jij recht hebt op wat meer geluk dan je tot nu toe gehad hebt, jongen,' zegt Gonda moederlijk. 'En wij denken verder dat jij dat geluk zult vinden bij een jonge en aantrekkelijke vrouw.'

'Zo, dat klinkt veelbelovend. Zullen we er meteen een borrel op drinken of wachten we op de bruiloft?'

'Drijf er nou niet de spot mee, Henk. Ik probeer je een beetje voorzichtig voor te bereiden op het voorstel dat wij in ons hoofd hebben.' Het gesprek verloopt niet zoals Gonda het zich voorgesteld had.

'Wie zijn 'wij'? Jij en Jaap of nog anderen?' Henk begint te begrijpen dat zijn zuster echt met een serieus voorstel komt.

'Die anderen zijn Jan en Kee Gerlings en de jonge vrouw die wij op het oog hebben is hun dochter Lenie.'

'Maar die is even oud als Teun Boekhoven.' Henk schrikt van de uitspraak van zijn zuster. Als hij aan Lenie Gerlings denkt, dan gaan zijn gedachten meteen terug naar de geboorte van zijn zoon en het verhaal dat de baker geen tijd had voor die bevalling omdat er op hetzelfde moment een bevalling op De Kooi was. De geboorte van Lenie. Zij en zijn zoon schelen een uur. Maartje heeft het hem meermalen verteld.

'Wat heeft Teun Boekhoven daar nou mee te maken?' vraagt Gonda.

'Ja, wat heeft Teun Boekhoven ermee te maken,' herhaalt Henk de vraag van zijn zuster. Hij moet even nadenken, want over het gesprek dat hij net na de geboorte van Teuntje met Maartje had,

kan hij beter zwijgen. En dan verzint-ie maar iets. 'Je weet toc
dat Kee hier vroeger vaak bij Corrie kwam en dan bracht ze Len
bij Maartje waar de kleine speelde met Teuntje. Op een keer ha
den ze ruzie en toen zei Lenie: 'Ik ben een uur ouder en dus mo
je doen wat ik zeg'.' Het is niet helemaal verzonnen, want h
meent weleens zo'n ruzietje opgevangen te hebben.
'Maar vind je het dan zo erg dat jullie wat in leeftijd schelen?'
'Wat in leeftijd? Het is een groot leeftijdsverschil, Gonnie.'
'Maar wat geeft dat nou? Jaap en ik schelen ook nogal wat jaren
'Jullie schelen negen jaar, maar Lenie en ik meer dan het dubb
le.'
'Och, til daar toch niet zo zwaar aan. Als jullie enkele jare
getrouwd zijn valt dat leeftijdsverschil bijna vanzelf weg. Vo
een man tellen de jaren veel minder dan voor een vrouw. En ve
geet niet, dat jij er best jong uitziet.'
'Vind je?' Onbewust heeft Gonda zijn ijdelheid gestreeld en zij i
niet de eerste die dat zegt. Van veel jonge vrouwen heeft h
dezelfde geluiden gehoord, zeker tijdens een feestavond of ke
mis. Ze dansen graag met hem. Eigenlijk is het wel aantrekkelij
om met zo'n jong en mooi meisje als Lenie te trouwen. Tijden
zijn huwelijk met Corrie is hij veel tekortgekomen. De tijd is wee
aangebroken dat de hele natuur zich opmaakt om het nageslach
zeker te stellen en ook hij voelt het gemis aan een vrouw in al zij
sterke botten. Ja, jong is-ie nog met een heel leven voor zich. E
hij heeft zijn jonge bruid iets te bieden. Madezicht is een van d
grootste hoeven van het dorp.
'Je zegt verder niks, Henk. Wij hebben met Jan en Kee afgespro
ken dat wij binnen drie dagen laten weten of jij akkoord gaat.'
'Maar is Lenie het er zelf al mee eens, Gonnie?'
'Lenie weet nog nergens van. Als zij weten dat jij akkoord gaat
dan praten zij met Lenie. Zal ik Jan en Kee maar zeggen dat he
goed is?'
'Ja, doe dat maar en zeg dan dat ik volgende week zondag op d
koffie kom om het met Lenie eens te worden.' Henk hakt metee
de knoop maar door en hij doet het zeker niet met tegenzin.
Nog dezelfde dag brengt Gonda die boodschap aan de famili
Gerlings over. Jan en Kee besluiten dan zo vlug mogelijk ee

geschikt moment te zoeken om met Lenie te praten. En dat moment doet zich de volgende avond voor als hun dochter Alie, die vier jaar ouder is dan Lenie, naar de verjaardag van haar aanstaande schoonvader is. Over Alie hoeven ze zich overigens geen zorgen meer te maken, want die heeft vaste verkering met de tweede zoon van een kapitaalkrachtige boer in een naburig dorp. Die jongen is de gedoodverfde opvolger van Jan als die te zijner tijd besluit het roer uit handen te geven. Nu Lenie nog als boerin op de machtige hoeve Madezicht en de bestemming van hun beider dochters is voortreffelijk geregeld.

Als Alie die avond weg is en de koffie ingeschonken is, zegt vader Jan tegen dochter Lenie dat ze eens even moeten praten.
'Je doet zo officieel,' lacht Lenie. 'Waar gaat het over, pa?'
'Dat zal ik je vertellen, meissie. Alie is naar Kobus om diens vader te feliciteren met zijn verjaardag. Je weet dat zij en Kobus hier later gaan boeren op De Kooi. Haar toekomst is dus verzekerd.'
'Maar je bent toch nog niet van plan te gaan stoppen!' Ze kijkt haar vader met grote ogen aan, want haar bekruipt even de angst dat er iets met hem is en dat hij haar daarover wil spreken, maar tot haar opluchting schudt hij zijn hoofd.
'Nee, dat ben ik voorlopig niet van plan, hoor! Ik zeg dat de toekomst van je zuster verzekerd is en nu wil ik over jouw toekomst praten.'
'Over mijn toekomst?'
'Ja, jouw toekomst. Je moeder en ik willen voor onze beide dochters gelijke kansen en dus willen we ook voor jou een plaats als boerin op een grote hoeve en die mogelijkheid doet zich nu voor.'
'Ik boerin op een grote hoeve?' Lenie begrijpt er helemaal niets van en voor haar neemt het gesprek een wel heel onverwachte wending. Als er zich nu zo'n mogelijkheid voordoet, dan moet er ook een jonge boer zijn die haar als boerin wil hebben. Maar welke hoeve en wie is dan die jonge boer? Ze vraagt het.
'De hoeve heet Madezicht.'
'Madezicht? Hoe kan dat nou?' Lenie begrijpt er steeds minder van. 'Daar woont toch boer Cromhout.'

'Henk Cromhout woont daar en zoals je weet is hij al meer dan een jaar weduwnaar.'
'Ja, dat weet ik, maar wat wil je daarmee zeggen?'
'Dat Henk Cromhout wil hertrouwen en aanstaande zondag hier op de koffie komt om het met jou eens te worden.'
'Boer Cromhout? Moet ik met die boer trouwen?' Lenie wordt beurtelings rood en bleek. 'Maar die is toch veel ouder dan ik!'
'Hij is ouder dan jij, maar is dat zo erg?'
'Natuurlijk is dat erg; ik ga niet met zo'n oude man trouwen!'
'Ook niet als je daardoor boerin wordt op een van de grootste hoeven van het dorp? Het is maar goed dat jij het niet alleen voor het zeggen hebt, meissie!' Jan Gerlings wordt een beetje nijdig door de negatieve reactie van zijn dochter.
'Wat kan mij die grote hoeve schelen. Wil jij ook dat ik met boer Cromhout trouw, moe?' Lenie kijkt haar moeder met een smekende blik aan, maar helaas voor haar knikt haar moeder.
'Henk Cromhout is een aardige kerel en aan dat leeftijdsverschil til ik niet zo zwaar, hoor!'
'Maar ik... eh...' Ze zou willen zeggen dat ze niet met Cromhout kan trouwen omdat ze van Teun Boekhoven houdt, maar dat kan ze niet zeggen. Dat mag niemand weten. O, wat een ellende!
'Wat nou maar?' Kee Gerlings kijkt haar dochter vragend aan, maar die schudt haar hoofd. Zelfs haar moeder kan ze de waarheid niet verklappen, maar steun vindt ze ook niet bij haar. 'Vind jij die boer dan ook niet te oud voor me, moe?'
'Ik zeg toch dat ik niet zo zwaar aan dat leeftijdsverschil til. De zuster van Henk, Gonda, je kent haar wel, die was hier met haar man om over jou en Henk te praten. Tussen die twee zit ook een groot leeftijdsverschil, maar daar merk je niks van.'
'Maar boer Potman en Gonda Cromhout schelen zeker niet meer dan tien jaar en ik schat dat boer Cromhout en ik wel minstens het dubbele schelen. Jullie moeten maar zeggen dat het niet doorgaat, hoor!'
'Wat voor de donder is dat voor een reactie! In plaats van het voorstel met beide handen aan te grijpen zoek je niks anders dan uitvluchten.' Jan Gerlings begint nu echt kwaad op zijn dochter te worden. 'Ik was al aan het nadenken over een geschikte partij

voor jou zonder ooit te kunnen vermoeden dat de grote boer van Madezicht ons onverwacht op een presenteerblaadje aangeboden zou worden en dan durf jij doodleuk te zeggen dat het niet doorgaat. Waar zit jouw gezonde verstand?'
'Maar ik ken die boer niet eens goed; als ik ooit tien woorden met hem gewisseld heb is het veel.'
'Wat is dat nou weer voor onzin. Henk Cromhout woont hier nog geen kwartier lopen vandaan. Je zuster kende Kobus Donkers helemaal niet en die woont ook nog in een ander dorp. Je ziet hoe goed het met die twee gaat. Zondag komt Henk om het met je eens te worden en daarmee af!' Vader Jan loopt boos naar buiten en moeder Kee verdwijnt in de keuken. Lenie voelt zich aan haar lot overgelaten, maar ze beseft dat er niets aan te doen is. Er zou ook niets aan te doen zijn geweest als haar vader met een lompe jongere boerenzoon zou zijn aangekomen. Henk Cromhout is oud, maar het is wel een knappe en frisse kerel. Toch griezelt ze als ze eraan denkt met die man het bed te moeten delen. Zij en Teun hebben hun kop in het zand gestoken. Als Teun erover begon legde zij haar hand op zijn mond. Och, arme Teun. Wat zal hij verdrietig zijn. Als ze daaraan denkt stromen de tranen over haar wangen. Ze wil alleen zijn met haar verdriet en sluipt vlug naar haar kamertje.
Een halfuurtje later hoort ze haar moeder naar boven komen en die vraagt of ze nog naar beneden komt om pap te eten en te bidden, maar ze antwoordt dat ze al in bed ligt en geen zin heeft in pap. En bidden? Heeft ze daar zin in? God danken voor de afgelopen dag? Moet ze God dankbaar zijn dat ze met een oude boer moet trouwen? Ze verbergt haar hoofd in haar kussen en snikt het uit.
Die nacht doet ze geen oog dicht. Pas tegen de ochtend valt ze in een onrustige slaap, maar wordt dan ruw gewekt door de genadeloos ratelende wekker. Even denkt ze dat alles maar een nare droom was, maar als ze voelt dat haar kussen nat is van de tranen, weet ze dat het geen droom maar werkelijkheid is. Morgen is het woensdag en na de naailes zal Teun er zijn. Ze heeft nog een kleine hoop dat hij een oplossing voor hun immense probleem heeft, maar het is niet meer dan de laatste strohalm waar ze zich aan vastklampt. Toch geeft het haar een heel klein beetje moed.

Tijdens de naailes kan zij zich niet concentreren. Ze is met haar gedachten niet bij het werk en verknipt een dure lap. 'Wat doe je nou, Lenie; je hebt die hele lap verknipt,' zegt de juffrouw hoofdschuddend. Zij is het van Lenie niet gewend dat ze zit te prutsen. 'O, neem me niet kwalijk, juffrouw; ik zal wel zorgen voor een nieuwe lap.' Lenie schaamt zich voor haar stommiteit, maar ze kan er niks aan doen. Maar één ding houdt haar bezig: hoe vertel ik het aan Teun? Het is gelukkig mooi droog weer en dus kunnen ze straks naar hun vertrouwde plekje achter de bosrand. Daar zijn ze samen en kan ze haar verdriet uithuilen zonder dat iemand het ziet. Ja, alleen Teun, maar voor hem wil zij haar tranen niet verborgen houden. Ze weet nu al dat hij haar zal troosten, maar ook hij zal getroost moeten worden, want haar lieve jongen zal minstens evenveel verdriet hebben als zij.
Ze is blij als de naailes eindelijk afgelopen is, want ze kan zo langzamerhand niet meer zien waar ze mee bezig is. Door de gedachte aan de dramatische confrontatie met haar lieve jongen komen er steeds weer tranen in haar ogen en die vertroebelen het zicht op haar werk.

Teun heeft haar het dorpshuis uit zien komen en zoals altijd fietst hij alvast vooruit richting bosrand. Als ze hem heeft ingehaald kijkt hij haar blij aan en zegt: 'Het is mooi weer, schatje, dus laten we maar vlug naar ons plekje gaan.'
'Ja, laten we dat doen,' zegt ze zacht. Als protest zou ze het wel willen uitschreeuwen dat dit niet hun laatste ontmoeting mag zijn, maar ze moet berusten. Er is geen weg terug. Over vier dagen komt Henk Cromhout en dan is het over en uit met Teun. Ze zit te snikken op de fiets en Teun kijkt haar met een bezorgde blik aan. 'Wat is er, lieveling?' Hij wil stoppen, maar zij beduidt hem dat hij door moet rijden tot aan hun plekje. Daar aangekomen smijt ze haar fiets neer en stort zich in zijn armen. Ze is op van de zenuwen, huilt met gierende uithalen en klampt zich aan hem vast alsof ze aan de rand van een afgrond staat en dreigt erin te vallen. Teun heeft er geen flauw idee van waarom zijn lieve meisje zo van streek is, maar praten kan zij niet. Daarom streelt hij haar over haar hoofd en neemt haar gezichtje tussen zijn sterke handen.

'Wat is er nou toch, lieve schat?' stamelt hij. 'Kom, laten we gaan zitten en probeer me dan te vertellen wat er aan de hand is. Ik schrik me een ongeluk.'
Als ze zitten trekt hij haar op zijn knie en droogt haar tranen, maar dat is onbegonnen werk, want steeds barst ze opnieuw in huilen uit. 'Ik durf het je niet te vertellen, lieverd,' snikt ze eindelijk.
'Is het zó erg? Vertel het toch maar, schatje.'
'Mijn vader heeft me verteld dat er zondag iemand komt waar ik mee moet trouwen.'
'O lieve hemel, is het zover?' Teun slaat de handen voor zijn gezicht en dan kan ook hij zich niet goed houden. 'We wisten, lieveling, dat er vroeg of laat een jongen voor jou zou komen, maar we vermeden het onderwerp altijd. O, wat erg!'
'Er komt geen jongen!'
'Wat dan?' Teun kijkt zijn meisje met een verbaasde blik aan; hij begrijpt er niets van.
'Er komt een oude man en...' verder komt ze niet, want haar stem is weer verstikt door emotie.
'Welke oude man?'
'Henk Cromhout.'
'Henk Cromhout? Hoe is dat nou mogelijk? Maar die is bijna twintig jaar ouder dan jij. Het zou je vader kunnen zijn.' Teun beseft niet dat zijn uitspraak nogal wrang is, want hij heeft het over zijn eigen biologische vader.
'Ik zeg toch dat er een oude man komt.' Nu het hoge woord eruit is, kalmeert ze enigszins. 'Maar wat moeten we nou doen, jongen?' Ze kijkt hem aan met een blik waarin nog enige hoop schuilt, maar als hij zijn hoofd schudt is ook dat laatste sprankje hoop verdwenen.
'Er is niks aan te doen, lieveling, en we hebben het altijd geweten.' Het is een trieste conclusie, maar een andere is er niet. Hij kan niets verzinnen om het tij te keren, maar dat zijn lieve meisje met Henk Cromhout, zijn buurman en de baas van zijn vader, zou moeten trouwen had hij niet voor mogelijk gehouden. Dat de boer van het kapitale Madezicht zou hertrouwen had hij wel verwacht, maar dat dat uitgerekend met zijn grote liefde zou zijn, is bizar.
Het wordt een droevig afscheid, waarbij de tranen aan beide kan-

ten rijkelijk vloeien. Met nog een laatste lange en innige kus wensen ze elkaar sterkte, want dat is wat ze beiden de eerste tijd hard nodig zullen hebben.

Die zondagavond gaat Henk Cromhout, zoals afgesproken, bij de familie Gerlings op de koffie. Alie is niet thuis en Lenie zit, samen met haar ouders, strak en stijf in de mooie kamer. Ze schenkt wel koffie in, maar ze durft Henk niet aan te kijken. Boer Cromhout noemt ze hem en dat ontlokt Henk de opmerking dat ze hem nu wel bij de voornaam mag noemen. Hij zegt het lachend, maar je kunt aan hem zien dat ook hij gespannen is. Lenie ziet er lief en vooral jong uit, maar haar hele houding drukt afweer uit. Ze nipt aan haar koffie en eet met lange tanden het koekje op dat moeder Kee uit de zondagse trommel presenteert. Er heerst een wat gespannen sfeer, maar gelukkig weet Jan Gerlings die te doorbreken door over de alledaagse dingen van het boerenleven te beginnnen.
'Ben je al van plan om te gaan maaien, Henk?' vraagt hij en Henk schudt zijn hoofd.
'Ik weet het nog niet, Jan. Door het koude voorjaar is de groei van het gras wat achtergebleven, dus ik denk dat ik het nog een aantal dagen aankijk.' Hij noemt zijn aanstaande schoonvader gewoon bij de voornaam, zoals hij dat al jaren gewend is. Hij denkt er zelfs niet bij na en Jan ook niet. Zij zijn gewoon boeren onder elkaar en ontmoeten elkaar geregeld op de wekelijkse veemarkt in de stad en tijdens vergaderingen van de diverse verenigingen, waarin zij, als vooraanstaande boeren, bestuurlijke functies vervullen.
'Ik twijfelde ook al, want ook hier staat het gras in de hooilanden nog niet echt hoog genoeg om gemaaid te worden,' reageert Jan. Zo wisselen ze nog een tijdje ervaringen uit terwijl Lenie de kommen nog eens volschenkt, maar voordat ze het voor Henk doet vraagt ze: 'Wilt u nog een kommetje?'
'Als je van dat 'u' nou eens 'je' maakt, dan wil ik er nog wel eentje, Lenie,' glimlacht Henk. En dan schenkt Lenie de kom van haar aanstaande vol, maar ze kan niet verhinderen dat ze een kleur krijgt.

'Laat jij Henk even uit, Lenie?' vraagt vader Jan als Henk te kennen geeft dat hij aan opstappen denkt. Hij staat op, neemt afscheid van zijn aanstaande schoonouders en Lenie volgt hem naar het achterhuis, waar een klein lampje het vertrek spaarzaam verlicht. In het dorp is het gebruikelijk dat bezoekers komen en gaan via de achterdeur. De voordeur wordt alleen gebruikt bij huwelijken en begrafenissen of als meneer pastoor op bezoek komt.
'Zo, daar staan we dan, Lenie,' zegt Henk als ze bij de deur zijn. Als hij zijn handen op haar schouders legt voelt hij dat ze beeft. 'Je beeft zo, je bent toch niet bang van me?' vraagt-ie een beetje verschrikt. 'Ik zal heel zacht en goed voor je zijn, hoor! Je durft het toch wel aan met me?' En als ze met een hoogrode kleur knikt, drukt hij een voorzichtig kusje op haar mond, maar zij houdt haar lippen stijf op elkaar. En dan vraagt hij zich voor de zoveelste keer af of hij er nou wel goed aan doet met zo'n jong meisje te gaan verkeren. Zijn eigen zoon, waarvan niemand mag weten dat het zijn kind is, is even oud als dit meisje. Wat zullen de mensen ervan denken?

Hoe de dorpelingen over de ontwikkelingen op Madezicht en De Kooi denken wordt algauw duidelijk als je de gesprekken in de paar dorpswinkels nagaat. De meningen zijn verdeeld, maar de meesten hadden wel gedacht dat Henk Cromhout er met een jong grietje vandoor zou gaan. Ook in de scheerwinkel van Theo de Waard is de boer van Madezicht weer eens onderwerp van gesprek. Koster Joop Dam slaat zich op de borst dat hij een juiste voorspelling gedaan heeft. Tegen de smid zegt hij: 'Jij vond Henk toch te oud voor een jong meisje, Cor? Weet je hoe oud Lenie Gerlings is?' Hij kijkt Cor Duinstee met een triomfantelijke blik in zijn ogen aan en de smid moet dan toegeven dat die Lenie nog wel erg jong is.
'Ik vind het geen pas geven dat een kerel van tegen de veertig gaat trouwen met een meisje van nog geen twintig,' meent hij en de kapper is het wel met hem eens.
'Maar een oude bok lust wel een groen blaadje, Cor,' lacht hij.
'Een mooi groen blaadje,' zegt Fons Goekoop met een spijtig gezicht. 'Maar als eenvoudige knecht had ik geen kans bij haar,

hoewel mijn kameraad Teun Boekhoven wel een potje bij haar kon breken. Tijdens de kermis van vorig jaar heeft hij bijna de hele avond met haar gedanst. Maar tegen een rijke boer als Henk Cromhout kan zelfs hij niet op, hoor!'
'Ben je jaloers, Fons?' vraagt de smid lachend.
'Een beetje wel, eerlijk gezegd, want Lenie is een prachtmeid! Veel te mooi en te jong voor zo'n oude vent als Henk Cromhout.'
Ook in huize Boekhoven wordt druk nagepraat over de verkering van Henk Cromhout en Lenie Gerlings en ook daar zijn de meningen verdeeld. Siem gunt zijn baas wat meer geluk dan hij tot nu toe in zijn leven gehad heeft, maar Maartje vindt hem te oud voor Lenie. Teun zit er met een sip gezicht bij en neemt nauwelijks deel aan de discussie. Als Maartje even met haar zoon alleen is, begint ze erover, want aan zijn strakke gezicht heeft ze wel gezien dat hij het moeilijk heeft met het verhaal van zijn vader en dat is niet zo verwonderlijk. Hij heeft haar al eens opgebiecht dat hij en Lenie van elkaar houden en zij weet maar al te goed wat het betekent als je je geliefde moet afstaan aan een ander.
'Heb je het er moeilijk mee, jongen?' vraagt ze zacht en dan kijkt Teun haar met betraande ogen aan.
'Heel moeilijk, moe. Ik vind het onredelijk dat zo'n jong meisje gekoppeld wordt aan een boer die bijna twintig jaar ouder is dan zij. Hij zou haar vader kunnen zijn.' Maartje schrikt een beetje van de laatste uitspraak van Teun. Hij zou eens moeten weten hoe de vork werkelijk in de steel zit. Het is even dramatisch als wonderlijk: zijn eigen vader gaat trouwen met het meisje dat hij, Teun, liefheeft. En het is maar goed dat hij het niet weet. Dat hij niet weet dat zij ook zielsveel van Henk gehouden heeft en dat hij, Teun, het product is van hun wederzijdse liefde.

HOOFDSTUK 9

Het ligt de bewoners van het kleine dorp aan de Made nog vers in het geheugen dat de klokken van de oude dorpskerk met hun sombere klanken de rouwdienst en begrafenis inluidden van de jonggestorven boerin van Madezicht.
Nu, op deze zonovergoten dag in april, strooien diezelfde klokken na ruim twee jaar hun vrolijke klanken uit over het dorp om het huwelijk tussen de nieuwe boerin van Madezicht en Henk Cromhout aan te kondigen. De jonge Lenie Gerlings valt die eer te beurt, maar of ze het zelf als een eer beschouwt, is nogal twijfelachtig. In de kapwagen die haar en haar bruidegom naar de kerk rijdt, zit ze met een uitdrukking op haar gezicht die niet geheel past bij een gelukkig bruidje.
Dat is ze dan ook niet. Ze laat alles maar gelaten over zich heen komen, want er is toch niets meer aan te doen. Een zweem van een glimlach ligt om haar mooie mondje als ze zich een ogenblik inbeeldt dat op de plaats waar nu Henk Cromhout zit, Teun Boekhoven zou kunnen zitten. Als dat zo was, dan zou ze pas gelukkig kunnen zijn, maar dat zijn dromen die toch nooit uitkomen.
De kerk is tot de laatste plaats bezet, want wederom trouwen twee nazaten van boeren die hun sporen in de kleine gemeenschap verdiend hebben. Henk Cromhout is geen jonkie meer en is zelf al een vooraanstaand lid van de kleine gemeenschap, maar zijn bruidje komt eigenlijk pas kijken. Ze gunnen Henk zijn geluk na de moeilijke jaren die hij met zijn ziekelijke eerste vrouw gehad heeft, maar leeftijdgenoten van Lenie denken daar toch wat anders over. Wie er zeker anders over denkt is Teun Boekhoven. Met gespannen kaken zit hij in de kerkbank en zijn hart krimpt ineen als hij zijn lieve meisje aan de arm van boer Cromhout naar het altaar ziet lopen. Zij ziet er zo mooi en teer uit in haar smetteloos witte trouwjapon en met gemengde gevoelens kijkt hij ook naar de bruidegom. Altijd heeft hij de boer van Madezicht graag gemogen, want de hartelijkheid die hij van hem ondervond, was echt gemeend. Nu voelt hij jaloezie en dat komt ook wel een beetje doordat de boer er in zijn strakgesneden trouwkostuum elegant

en betrekkelijk jeugdig uitziet. Hij volgt de verrichtingen van meneer pastoor nauwgezet en zeker als die overgaat tot de huwelijksvoltrekking.
'Hendrikus Gerardus Cromhout, wilt gij Marleen Maria Gerlings, hier tegenwoordig, nemen tot uw wettige huisvrouw, volgens het gebruik van onze Moeder de Heilige Kerk?' vraagt de pastoor. En dan antwoordt Henk luid en duidelijk: 'Ja, ik wil.' Op dezelfde vraag van meneer pastoor aan de bruid of zij Hendrikus Gerardus Cromhout tot haar wettige man wil nemen, lijkt het of Lenie het antwoord daarop schuldig moet blijven. De pastoor moet zich vooroverbuigen om de fluisterende bevestiging van de bruid te kunnen vernemen. In die enkele ogenblikken gaat het in een flits door Teun heen dat Lenie zich wellicht op het allerlaatste moment bedacht heeft, maar als hij de pastoor ziet knikken, beseft hij dat ook die laatste kans voor hem verkeken is. Het zou ook wel een enorm schandaal gegeven hebben als Lenie de vraag van meneer pastoor ontkennend had beantwoord. De ceremonie gaat gewoon door. Bruid en bruidegom geven elkaar de rechterhand, waarna de pastoor hen in de echt verenigt. Nadat de ringen met wijwater besprenkeld zijn volgt de uitwisseling ervan en ten slotte vraagt pastoor Huibrechts de bevestiging van de Allerhoogste met de woorden: 'Confirma hoc, Deus quod operatus es in nobis.'
Teun is blij als de plechtigheid afgelopen is. Nu moet hij nog wachten tot het bruidspaar naar Het Tappunt gereden is. De kerk en het dorpscafé zijn maar enkele honderden meters van elkaar verwijderd, maar Siem Boekhoven moet toch nog even het paard voor de versierde kapwagen spannen om de twee erheen te brengen, want erheen lopen is niet deftig genoeg voor een vooraanstaand boerenpaar.
De receptie wordt gehouden in de grote zaal achter het café en waard Leen Vos heeft ervoor gezorgd dat het zijn gasten aan niets zal ontbreken. De centen van de grote boer van Madezicht zijn goed voor een royale ontvangst. Evenals in de kerk is het er druk. Vooral de bruid krijgt complimenten dat ze er zo mooi uitziet. Aan de sieraden die zij draagt, is ook wel te zien dat zij de vrouw geworden is van een rijke boer. Als Teun als een van de velen de gelegenheid krijgt het bruidspaar te feliciteren, houdt hij het smal-

le handje van Lenie wat langer vast. 'Veel geluk!' zegt hij, maar hij ziet aan het trillen van haar lip dat dit wel een erg vrome wens is. Hij loopt maar vlug door, want hij is bang dat de bruid in tranen zal uitbarsten als hij nog meer zegt. Het is de bedoeling dat hij nog even gaat zitten om te genieten van de kleine taartjes en bruidssuikers die worden aangeboden, maar hij heeft er geen zin in. Hij heeft de huwelijksmis bijgewoond en het bruidspaar gefeliciteerd en dat vindt hij voldoende. Bij de deur draait hij zich nog even om en dan tilt Lenie haar arm op en zwaait. Hij zwaait terug en doet de deur maar gauw achter zich dicht, want hij moet de aandrang onderdrukken terug te rennen en haar in zijn armen te sluiten. Nog niet zo lang geleden heeft hij haar beloofd haar te zullen redden als zij opgesloten zou worden. Wordt zij ook nu niet opgesloten? Opgesloten in een huwelijk dat zij niet gewild heeft. Opgesloten in een huis waarin geen plaats is voor liefde. Opgesloten met een man die haar vader had kunnen zijn. Hij springt op zijn fiets en rijdt als een bezetene naar De Windhoek. Daar kleedt hij zich om en stort zich op het werk. Door hard te werken wil hij zijn zinnen verzetten. Niet meer denken aan het ongelukkige gezicht van zijn lieve meisje. Niet meer denken aan zijn eigen ellende.

Na de huwelijksdag heeft Lenie Cromhout haar taak als boerin op Madezicht opgevat. Daar heeft ze minder moeite mee dan haar taak als echtgenote van Henk Cromhout te vervullen. Ze kan er niets aan doen de aanrakingen van haar veel oudere man nauwelijks te kunnen verdragen. Als Henk haar kust ondergaat ze dat gelaten. Ze begrijpt best dat dat voor haar man erg naar is, maar ze kan niet anders. Ze heeft al eens geprobeerd aan Teun te denken als Henk haar in zijn armen nam, maar dan is het nog erger.
Dien Beuvink, de oude meid, moedert een beetje over haar, want zij voelt wel aan dat het voor het meisje moeilijk is met een veel oudere man te moeten leven. 'Ik ken hem al heel erg lang, Lenie, en ik weet dat het een heel lieve man is, hoor!' breekt ze een lans voor haar baas en Lenie belooft haar dan dat ze haar best zal doen ook lief voor hem te zijn, maar het lukt gewoonweg niet. Haar gedachten zijn nog steeds bij Teun en omdat ze weet dat hij op

zondag bij zijn ouders is, loopt ze vaak het erf op om een glimp
van hem op te vangen.
Maartje komt ’s morgens nog steeds melk halen en nu wordt ze
vaak door Lenie bediend. Die grijpt soms de gelegenheid aan om
te informeren naar Teun. Ze doet het heel onopvallend en verwijst
naar de tijd toen ze samen als kinderen speelden. Dat Maartje van
de hopeloze liefde tussen haar en Teun op de hoogte is, weet zij
niet. Teun heeft haar nooit verteld dat hij zijn moeder in vertrouwen genomen heeft. Maartje merkt aan Teun dat hij het nog steeds
moeilijk kan verkroppen dat zijn lieve meisje definitief voor hem
verloren is, maar dat zegt ze niet.
Maar het is niet alleen Lenie die wat steun zoekt bij Maartje. Ook
Henk klaagt zijn nood bij haar. ‘Als ik haar in de bedstee aanraak
wordt Lenie zo stijf als een plank,’ zegt-ie, maar Maartje wil niets
van die verhalen horen.
‘Bespaar me je bedverhalen, Henk,’ reageert ze. ‘Jij was oud en
wijs genoeg toen je besloot te trouwen met een jong meisje. Heb
een beetje geduld met haar, dan komt het misschien nog goed.’
‘Ik zal je advies in mijn oren knopen, Maartje,’ zegt-ie en hij geeft
Lenie vervolgens ook meer tijd om aan de nieuwe situatie te wennen, maar helaas verandert er weinig. Hij staat bekend als een
charmeur, maar op de jonge boerin van Madezicht leveren zijn
voorzichtige avances geen succes op. Lenie trekt zich als een oes-
ter terug in haar schelp als hij toenadering zoekt.

Tot schrik van zowel Henk als Lenie krijgt de oude meid Dien
Beuvink op een dag een lichte beroerte en moet het bed houden.
Het lukt Lenie in haar eentje bij lange na niet het vele werk klaar
te krijgen en dus besluit ze een nieuwe meid aan te trekken. Haar
keuze valt op een oud-klasgenootje, Geertje Boon. Geertje is een
mooi en lief, wat mollig meisje en ze is zeer vereerd met haar
plaats op Madezicht. Dat Lenie, met wie ze als kind bijna dagelijks gespeeld heeft, daar nu de scepter zwaait, vindt ze erg fijn.
Minder plezierig vindt ze het dat de boer met zo’n gruizige blik
naar haar kijkt. Ze begrijpt het niet, want Lenie is knapper dan zij
en dat is zijn eigen vrouw. Wat zij niet weet is, dat die twee geen
volwaardig huwelijksleven hebben. Het is wel duidelijk dat Henk

niet aan zijn trekken komt, want bij de aanblik van de mooie Geertje gaat zijn bloed sneller stromen. En helaas voor Geertje blijft het niet bij gruizig kijken. Henk maakt grapjes met haar en knijpt haar dan speels in haar welgevormde billen. Na de eerste paar keren maakt zij zich er niet al te druk om, maar als de boer wat verder gaat begint zij toch te protesteren. Eigenlijk vindt ze het wel jammer dat de boer zijn handen niet thuis kan houden, want ze heeft het op de hoeve goed naar haar zin. Er tegen haar vrijer Cors Eemhof iets van zeggen durft ze niet, want ze kent de kracht van Cors, die knecht is bij de smid, en ze is bang dat hij haar baas een aframmeling zal geven als hij hoort dat die zijn handen niet thuis kan houden. Toch staat ze soms op het punt er wel iets over tegen Cors te zeggen als Henk maar door blijft gaan met zijn handtastelijkheden. Het vreemde is dat Henk niet eens doorheeft dat Geertje een gloeiende hekel aan zijn zogenaamde grapjes heeft. Op een gegeven moment raakt hij zó opgewonden door de mooie Geertje dat hij haar geld biedt als ze even met hem het hooi in wil gaan.
'Ik ben geen hoer, hoor!' snauwt ze en verontwaardigd smijt ze de bezem waarmee ze aan het vegen is, neer en gaat naar huis. Ze laat Lenie in het ongewisse waarom ze zo plotseling weggaat.
Cors Eemhof, die onkundig is van het gebeurde op de hoeve, komt die avond zijn meisje ophalen en hoort dan van Lenie dat ze naar huis gegaan is. 'Ik weet niet wat er met haar aan de hand is, maar plotseling was ze verdwenen,' zegt ze. 'Als je haar ziet vraag haar dan wat er gebeurd is en of ze morgen komt om het me te vertellen, want ik begrijp er echt niks van, Cors.' Lenie kent de smidsknecht goed, want op school zat ze steeds met hem in dezelfde klassen.
'Ze is helemaal overstuur en ze wil niet zeggen wat er gebeurd is,' zegt de moeder van Geertje als Cors bij haar thuis komt.
'Waar is ze dan?' wil Cors weten. Hij begrijpt er nu helemaal niks meer van.
'Boven op haar kamer. Ik zal haar zeggen dat jij er bent; misschien wil ze het jou wel vertellen.'
'O, ben jij het Cors,' zegt Geertje die uit zichzelf al naar beneden gekomen is omdat ze de stem van haar vrijer herkende. 'Laten we

buiten maar even op de bank gaan zitten.' Ze ziet er opgewonden uit en Cors heeft met haar te doen, want hij vermoedt dat er iets gebeurd is wat haar aangegrepen heeft. Misschien heeft ze wel ruzie gehad met die zieke oude meid, die Dien Beuvink. Die is, naar men zegt, wel ziek, maar misschien voelt ze zich door Geertje van haar plaats verdrongen. Hij vraagt het ook als ze op de bank zitten, maar Geertje schudt beslist haar hoofd.
'Nee, met die arme Dien zou ik nooit ruzie kunnen krijgen,' zegt ze.
'Maar waarom ben je dan plotseling uit je dienst gelopen? Lenie begrijpt er ook niks van.'
'O, jij was natuurlijk bij de hoeve om me af te halen.'
'Ja, en toen hoorde ik het verhaal van Lenie. Vertel me nou maar gauw wat er loos is, want ik brand van nieuwsgierigheid.'
'Ik vind het erg moeilijk er met jou over te praten, Cors. Als ik het doe moet je me wel beloven niet als een dolle stier verhaal te gaan halen bij de boer, hoor!'
'Ik beloof niks! Heeft die rotboer iets met jou uitgespookt?' Cors zet meteen zijn stekels op, want als je aan zijn meisje komt, kom je aan hem. Hij is gek op zijn Geertje en hij wordt al nijdig als andere jongens naar haar kijken.
'Als je het niet belooft, vertel ik het je niet.' Geertje is verontwaardigd door de opdringerigheid van de boer en vooral door diens idiote voorstel, maar ze kent de drift van haar jongen. Wie in zijn sterke knuisten komt is nog niet jarig. Ze gunt de boer wel een aframmeling, maar ze vindt het zo zielig voor Lenie als die hoort waarom Cors haar man te grazen genomen heeft.
'Goed, ik beloof het je; vertel het nou maar!'
'De boer kan zijn handen niet thuishouden.'
'Dus het klopt wat ik dacht.' Cors spant zijn kaken en daaraan ziet Geertje dat hij heel erg kwaad is.
'Ja, het klopt, maar hij stelde ook iets heel smerigs voor. Hij bood me geld om met hem in het hooi te kruipen en toen ben ik meteen weggegaan. In een dienst waar de baas zulke rare dingen zegt, wil ik niet blijven.'
'Nee, natuurlijk niet. Ik zal die rotzak!' Cors balt zijn vuisten en wil meteen de daad bij het woord voegen, maar Geertje houdt

hem tegen. 'Je hebt me beloofd geen verhaal te gaan halen,' zegt ze en dan gaat hij weer zitten.
'Ik heb er spijt van het je beloofd te hebben, schat.' Hij zit nog steeds met gebalde vuisten en zint op wraak. Woest is-ie, maar hij moet zich voorlopig aan zijn belofte houden.
Tegen haar moeder heeft Geertje gezegd dat ze het met Lenie goed kon vinden, maar niet met de boer en dat ze daarom niet langer op Madezicht wil blijven. Die boodschap heeft haar moeder overgebracht aan de jonge boerin.

En dan heeft op een dag de jaarlijkse kermis de dorpelingen weer in haar greep. Henk Cromhout is qua leeftijd wel een wat afwijkende verschijning tussen de jonggeliefden, maar met een jonge vrouw als Lenie wil hij toch met alles meedoen. Vooral 's avonds laat hij zich zien in Het Tappunt, de dorpskroeg van Leen Vos. Hij laat zich de biertjes goed smaken en hij heeft geld genoeg om de jongelui te trakteren. Leen heeft een muzikant uit de stad ingehuurd en die weet de boel wel te vermaken. Naast het organiseren van spelletjes speelt hij ook veel dansmuziek en daar maken de jongelui gretig gebruik van. Henk wil voor de jongelui niet onderdoen en is ook veelvuldig op de dansvloer te vinden. Hij danst niet alleen met zijn jonge vrouwtje, maar ook met anderen. Als de glazen bier worden afgewisseld met borreltjes, wordt hij wat overmoedig en vraagt Geertje Boon ten dans. Hoewel zij niet meer op Madezicht werkt, durft zij de vooraanstaande boer niet te weigeren, maar het zint haar helemaal niet en haar vrijer, de smidsknecht Cors Eemhof, nog minder. Vooral als hij ziet dat de boer heel innig met haar danst. De hele avond zit hij zich al op te winden om de aanwezigheid van de rijke boer, die met zijn gore poten niet van zijn meisje af kon blijven. Hij moet die vent een hak zetten, maar niet met een dronken kop. Daarom drinkt hij heel weinig en als hij een borreltje aangeboden krijgt, giet hij de inhoud van het glaasje stiekem in een bloemenvaas. Om de indruk te wekken dat hij dronken is, gedraagt hij zich nogal luidruchtig. In dansen heeft hij geen zin, maar als Geertje hem wenkt laat hij zich van zijn kruk af glijden en doet alsof hij niet op zijn benen kan staan. Schielijk gaat hij weer zitten.

'Neem er nog eentje!' lachen zijn maten. Ze hebben er lol in dat de stoere smidsknecht niet tegen drank kan. Henk Cromhout neemt zijn taak graag over en ziet zodoende zijn kans schoon nog eens met de aantrekkelijke Geertje te dansen en die durft nog steeds niet te weigeren.
Lenie volgt met een kritische blik de gedragingen van haar man en als die niet meer naar haar taalt zoekt zij het gezelschap van Teun Boekhoven. Teun zit er wat verloren bij. Een kermismeid heeft hij niet en hij was eigenlijk liever op De Windhoek gebleven, maar dat zou zijn baas alleen maar vragen ontlokken. Vragen waarop hij geen antwoord zou kunnen geven. Met stijgende verontwaardiging ziet hij dat boer Cromhout meer met andere meisjes danst dan met zijn eigen vrouw. Een paar keer heeft hij op het punt gestaan Lenie te vragen, maar het uiteindelijk toch niet aangedurfd. Stel dat zijn lieve meisje in snikken zou uitbarsten. Nee, hij blijft maar wat zitten en als Lenie dan uit zichzelf bij hem aanschuift is hij daardoor blij verrast.
'Ik kom maar even bij jou zitten, Teun,' zegt ze fluisterend. 'Henk taalt niet meer naar me en flirt met Geertje Boon.'
'Die werkt toch niet meer bij jou,' weet Teun.
'Nee, ze is plotseling weggelopen omdat ze het niet met Henk kan vinden. Zo te zien Henk kennelijk wel met haar, want hij is niet bij haar weg te slaan!'
'Heb je al een andere meid?'
'Daatje Dullens is komen vragen of zij de plaats van Geertje kan krijgen, maar ik durf haar niet aan te nemen omdat ik bang ben ruzie te krijgen met Bep van Es.'
'O, daar hoor ik van op. Ik wist niet dat Daatje weg wil van De Windhoek, maar wat ik wel weet is dat Bep haar niet graag zou zien gaan. Wat dat betreft kon je weleens gelijk hebben dat zij nijdig zou worden als jij Daatje aan zou nemen.'
'Daarom heb ik het niet gedaan.'
'Maar je bent wel op zoek naar een nieuwe meid, neem ik aan.'
'Jazeker! Maar om deze tijd van het jaar valt het niet mee om een geschikt meisje te vinden. Gelukkig helpt je moeder me af en toe en Dien strompelt ook al weer een beetje door het huis. Kleine werkjes kan ze alweer doen.' En dan stoot ze Teun aan en wijst op

Henk. 'Kijk nou wat-ie doet! Hij giet de ene borrel na de andere in zijn keelgat. Hij kan al bijna niet meer op zijn benen staan.' Ze is verontwaardigd en gaat naar Henk toe om hem te zeggen dat hij moet ophouden met drinken, maar Henk duwt haar weg en zegt dat ze zich er niet mee moet bemoeien.
'Hoor je wat hij zegt?' vraagt ze Teun als ze terug bij hem is. 'Ik mag me er niet mee bemoeien. Nou, hij zoekt het maar uit; ik ga naar huis!'
'Zal ik met je meegaan?'
'Ga jij maar alvast, ik kom zo; ze moeten ons niet samen weg zien gaan.' Ze heeft het fluisterend gezegd en er komt een blijde glinstering in haar ogen.
'Het is mooi weer, laten we maar even naar ons oude plekje gaan,' zegt ze als ze elkaar buiten treffen.
'Zouden we dat wel doen, Lenie?' Teun schrikt een beetje van haar voorstel. Alle vezels in zijn lijf verlangen naar zijn lieveling, maar zij is de vrouw van boer Cromhout.
'Kom nou maar; het is donker en niemand ziet ons.'
'Wacht even, dan pak ik mijn fiets.' En dan is het net of de tijd heeft stilgestaan. Ze springt bij hem achterop, slaat haar armen om zijn middel en vlijt haar hoofd tegen zijn rug. Een siddering van geluk gaat door haar heen. Ze is weer even samen met haar lieve jongen en het kan haar niets schelen dat ze daardoor haar man bedriegt. Ze wil niets liever dan een beetje troost zoeken bij haar geliefde, want deze avond bewijst eens temeer dat Henk zich aan haar niets gelegen laat liggen.
Eenmaal op hun oude en vertrouwde plekje aangeland, trekt Teun zijn jasje uit en spreidt dat uit over het gras dat een beetje vochtig is. 'Zo, nou kunnen even rustig praten,' zegt-ie, maar Lenie schudt haar hoofd.
'Ik wil niet praten maar kussen, lieverd.' Ze slaat haar armen om zijn nek en dan sluiten hun monden op elkaar in een lange en innige kus. 'Hier heb ik zo naar verlangd, jongen,' zucht ze als ze haar lippen even van de zijne haalt. 'Kom, we gaan zitten.'
'Maar ik krijg ruzie met de boer als hij merkt dat wij samen vertrokken zijn en jij krijgt ook op je kop.'
'Praat daar nou niet over!' Ze trekt hem naar beneden en nestelt

zich op zijn knie. 'Zeg nog eens dat je van me houdt, lieverd.'
'Ik hou zielsveel van je, schatje, maar het mag niet.'
'Vanavond mag alles!' Ze drukt zich onstuimig tegen hem aan, gaat liggen en spreidt haar armen. 'Kom maar, jongen; ik verlang zo naar je,' zegt ze hijgend. En dan vergeet hij alle bezwaren en laaien liefde en hartstocht hoog in hem op.
'Konden we zo maar altijd samen blijven liggen, lieverd,' fluistert ze in zijn oor. 'Nou besef ik pas hoe heerlijk het is het te doen als je van elkaar houdt.'
'Maar ik had zover niet mogen gaan, lieveling,' verontschuldigt hij zich, maar zij wuift alle bezwaren weg.
'Ik hou alleen van jou, jongen, begrijp dat toch!' Ze blijven nog een poosje met de armen om elkaar heen zitten, maar dan springt hij op, trekt haar omhoog en zegt dat ze nu echt moeten gaan.
'Ik wil het niet op mijn geweten hebben dat er op Madezicht vervelende vragen gesteld worden, lieveling.' Een paar honderd meter voor de hoeve nemen ze met een kus afscheid en moet hij nog even haar tranen drogen.

Intussen gaat het feest in Het Tappunt nog door. De smidsknecht hangt als een zoutzak tegen de tapkast aan. 'Zou je niet eens stoppen?' vraagt kroegbaas Leen Vos als Cors zijn zoveelste borrel bestelt, maar de zatte smidsknecht schudt zijn hoofd en lalt: 'Je ken 'r beter van piese dan van 'n korsie kaas, Leen.' Maar Leen vindt dat hij genoeg gehad heeft en weigert hem nog eens in te schenken, doch dat pikt Cors niet. 'Jij mot schenke as ik dat vraag,' zegt hij met dubbele tong, maar de waard schudt beslist zijn hoofd.
'Genoeg is genoeg, jongen.'
'Wat donder, hier en gunder...' De smidsknecht wordt woedend, maakt de waard uit voor alles wat lelijk is en strompelt scheldend de kroeg uit. Hij komt ook niet meer terug en Geertje weet dan niet wat haar te doen staat. Hem nalopen durft ze niet, want alleen de weg op gaan met wellicht nog meer dronken kerels in de buurt, vindt ze te riskant.
De flink aangeschoten Henk Cromhout, die merkt dat zijn vrouwtje verdwenen is en dat ook de smidsknecht er al vandoor is, stelt

Geertje voor haar naar huis te brengen, maar Geertje geeft de voorkeur aan een vriendin, die geen kermisvrijer heeft en met haar mee wil lopen.

Wat niemand weet of zelfs maar vermoedt, is dat Cors Eemhof broodnuchter buiten de boer van Madezicht opwacht om hem een lesje te leren. Met genoegen heeft hij gezien dat Lenie Cromhout al vertrokken is en vanachter een struik ziet hij ook zijn eigen meisje met een vriendin vertrekken. Dat laatste doet hem pijn, maar later zal hij het haar wel uitleggen en dan komt alles weer goed. Zijn geduld wordt niet lang op de proef gesteld, want even later ziet hij Henk Cromhout waggelend de kroeg uit komen. De boer pakt zijn fiets, maar merkt algauw dat hij te dronken is om erop weg te rijden. Nijdig smijt hij het ding tegen het hek van Het Tappunt en vervolgt lopend, of liever gezegd waggelend, zijn weg. Cors volgt hem ongezien op een afstand. Het is donker, dus niemand ziet hem, maar toch sluipt hij voorzichtig en geluidloos achter de dronken boer aan. Als ze de laatste huizen van het dorp achter zich gelaten hebben en de bosrand naderen, sluipt hij ongemerkt nader en grijpt hem plotseling in zijn kraag.
'Wat mot dat?' schrikt Henk en hij tracht de hand van de onbekende aanvaller van zich af te schudden, maar voor de potige en nuchtere smidsknecht is de dronken boer geen partij.
'Ik zal je uitleggen wat dat mot, baas,' zegt hij sarcastisch. 'Jij krijgt een pak slaag omdat je met je gore poten niet van jonge meisjes af kan blijven.' En met dat hij het zegt geeft-ie de boer een dreun boven op zijn neus, zodat het bloed eruit springt.
'Hou op, man,' kreunt Henk. De harde stomp ontnuchtert hem enigszins en hij is ervan overtuigd dat zijn aanvaller zich vergist. 'Lenie is mijn eigen vrouw.'
'Die bedoel ik niet, viezerik! Denk er maar eens over na met wie jij vanavond de meeste keren gedanst hebt. Hier, aanpakken!' En weer daalt zijn vuist als een moker neer op het reeds bloedende gezicht van Henk Cromhout. 'En deze heb je verdiend omdat Geertje door jouw vieze spelletjes haar betrekking moest opgeven. En deze voor je schofterige voorstel om met haar de hooiberg in te duiken.' Cors is door het dolle heen en de ene klap is nog

harder dan de andere. Hij onderschat zijn eigen kracht en laat na een poosje de onfortuinlijke boer meer dood dan levend achter.
'Zo, die heeft zijn verdiende loon,' mompelt-ie als hij zijn weg naar huis vervolgt. Toch hoopt hij maar door de boer niet herkend te zijn, want dan kan hij zijn baantje bij de smid wel vergeten. Cor Duinstee zal de klandizie van de rijke boer niet willen ruilen voor een jaloerse knecht.
Maar de rijke boer van Madezicht zal nooit verhaal gaan halen bij de smid, om de eenvoudige reden dat hij de aframmeling van de ruwe knecht niet overleefd heeft.

Het is ver na middernacht als er op de deur van het daggeldershuisje van Siem Boekhoven geklopt wordt. Als Maartje met een slaperig gezicht gaat kijken wie er op dit nachtelijke uur nog aan de deur is, is ze verbaasd Lenie te zien staan. 'Lenie! Wat is er, kind?' Ze schrikt.
'Henk is helemaal niet thuisgekomen en ik begin me zorgen om hem te maken. Wilt u uw man vragen te gaan zoeken? Ik denk dat hij ergens is gaan zitten en in slaap is gevallen.'
'Heeft hij veel gedronken, Lenie? Zelf ben ik niet op de kermis geweest en heb dus ook niks gezien.'
'Ja, hij was apezat; ik schaam me dood als anderen hem langs de weg vinden.'
'Maar ben jij dan alleen naar huis gekomen?'
'Nee, Teun heeft me gebracht.'
'Teun? Nou ja, doet er ook niet toe; ik ga vlug mijn man wekken. Ga jij maar weer naar bed. Henk zal, met of zonder mijn man, zo wel thuiskomen.'
'Siem! Wakker worden! Henk Cromhout is niet thuisgekomen van de kermis en Lenie vraagt of jij hem wil gaan zoeken.'
'Wat? Henk Cromhout? Waar is-ie dan?' Siem is nog niet goed wakker.
'Ja, als we dat wisten, dan hoefde jij hem niet te gaan zoeken; ga nou maar!' En dan kleedt hij zich, mopperend op zijn baas, aan en gaat de deur uit. 'Neem een lantaarn mee!' roept ze hem nog na. Zelf gaat ze niet meteen terug in bed, want ze is toch een beetje geschrokken van het bericht. Wie weet wat er gebeurd is. 'Hij was

apezat,' zei Lenie. Vlucht Henk in de drank? Gelukkig is hij niet met Lenie en die is kennelijk nog steeds gek op Teun, want waarom liet ze zich anders door hem thuisbrengen. Hoe dat allemaal moet aflopen weet ze niet. Enfin, als Henk eerst maar eens boven water is... Ze schrikt van haar eigen gedachten. Boven water? Misschien is Henk met zijn dronken kop wel het water in gelopen en verdronken. O, lieve help! Nu begint ze zich echt zorgen te maken.

Inmiddels is Siem de laan uitgelopen op weg naar het dorp. In de frisse buitenlucht wordt hij pas goed wakker en vervloekt zijn baas. Waarom die lui met kermis zoveel zuipen is hem een raadsel. Je kunt zonder een zatte kop toch ook wel feestvieren. Beter nog, want hij herinnert zich uit zijn eigen dorp de zatlappen op de kermisavond en hun stekende koppijn op de dag erna. Maar zijn vorige baas zei altijd: ''s Avonds een kerel; 's morgens een vent.' En dus moesten ze er even hard tegenaan als op andere dagen. Nu moet hij midden in de nacht zijn bed uit om zijn baas te gaan zoeken. Het zal wel precies zo zijn als Lenie veronderstelde, dat hij ergens is gaan zitten en in slaap gevallen is. Hij zal vanzelf wel weer wakker worden. Doodvriezen zal hij zeker niet, want het is nog steeds zoel weer.
Hij loopt de kortste weg tussen Madezicht en de dorpskern waar de kroeg van Leen Vos is. Het is donker en dus maar goed dat hij een stallantaarn bij zich heeft. Zo kan hij de bermen verlichten, waarbij hij vooral let op omgevallen boomstammen en lage muurtjes. Maar Henk komt hij niet tegen. Tot hij een roerloze gestalte tegen de bosrand aan ziet liggen en bij het schijnsel van de lantaarn ziet dat het zijn baas is. Hij pakt hem beet om hem wakker te schudden, maar dan trekt hij verschrikt zijn hand terug. De boer is helemaal koud. Als hij zijn hand op diens borst legt en niets voelt, weet hij het zeker: de boer van Madezicht is dood. En dat is niet vanzelf gegaan, want zijn hele gezicht zit onder het bloed. Wat is er in vredesnaam gebeurd en wat moet hij nou doen? Het lijk van de boer op zijn rug nemen en naar de hoeve brengen? Nee, hij moet de veldwachter waarschuwen, want de boer is geen natuurlijke dood gestorven, maar eerst gaat

hij naar huis om Maartje in te lichten en te overleggen.
Buiten adem van het harde lopen komt hij thuis en Maartje is nog op. 'Heb je hem gevonden?' vraagt ze gehaast en Siem knikt. 'Is-ie weer thuis?'
'Nee, Henk Cromhout is dood!'
'Wat? Dood?' Maartje wordt lijkbleek en barst in snikken uit.
'Rustig nou maar,' probeert Siem zijn vrouw te kalmeren. Hij denkt dat het zenuwen zijn, maar Maartje schrikt zich een ongeluk en heeft echt verdriet om de dood van de man die zij haar leven lang liefgehad heeft. Toch probeert ze zich te beheersen, want Siem zal haar radeloze verdriet niet begrijpen en ze vraagt waar de boer nu is.
'Hij ligt langs het pad vlak bij de bosrand en zijn gezicht zit onder het bloed.'
'Och hemel! Dan moet je naar de veldwachter gaan, Siem.'
'Ja, dat had ik ook gedacht. Dan ga ik maar gauw en neem de fiets.'

Veldwachter Frank Doggeman is die nacht, in verband met de kermis, laat naar bed gegaan en hij zit bepaald niet te wachten op een nachtelijke bezoeker. Als Siem bij hem aanbelt wordt hij dan ook met een zuur gezicht ontvangen.
'Wat kom je doen, man?' bromt-ie nijdig. 'Ik lig pas een paar uur in bed.'
'Boer Cromhout ligt dood bij de bosrand en omdat zijn gezicht onder het bloed zit, neem ik aan dat hij geen natuurlijke dood gestorven is.'
'Alle mensen!' De veldwachter schrikt van de boodschap die Siem hem brengt. In het kleine dorp aan de Made is een moord iets onbestaanbaars. Frank Doggeman heeft er in zijn lange loopbaan nog nooit een meegemaakt. 'Weet je zeker dat de boer dood is?'
'Ja, hij is helemaal koud.'
'Maar ik wil het zelf constateren. Ik pak mijn fiets en ga met je mee.' De veldwachter kleedt zich vliegensvlug aan, licht zijn vrouw met een paar woorden in en volgt Siem naar de plek des onheils. Daar aangekomen ziet hij meteen dat de boer morsdood

is en dus vraagt hij Siem de wacht bij het lijk te betrekken. 'Ik fiets terug naar huis en bel meteen de recherche in de stad.' Veldwachter Doggeman is een van de weinige dorpelingen die over telefoon beschikt. 'Raak niets aan en loop ook niet rond, want dat verstoort het sporenonderzoek van de recherche.' Frank Doggeman heeft een dergelijke zaak nooit bij de hand gehad, maar hij weet wel zo om en nabij wat hij doen en laten moet.

Als de veldwachter weg is, blijft Siem alleen bij het dode lichaam van zijn baas achter en hij voelt zich niet erg op zijn gemak. In het donker met een lijk aan de rand van een bos. Onheilspellender kan al bijna niet. Hij is niet bijgelovig, althans dat probeert hij zichzelf wijs te maken, maar bij elk takje dat kraakt krijgt hij kippenvel. Hij moet ook blijven zitten waar hij zit, want van de veldwachter heeft hij instructies gekregen niets aan te raken en ook niet te gaan lopen. Als de recherche komt zullen zij volgens Doggeman alle sporen onderzoeken, want ook hij is van mening dat de boer geen natuurlijke dood gestorven is. De bloedingen rondom neus en mond doen vermoeden dat er een gevecht heeft plaatsgevonden. Ze zullen toch niet denken dat hij het gedaan heeft? Achteraf gezien zou het misschien toch beter geweest zijn meteen na de boodschap van de verontruste boerin naar de veldwachter te gaan. Maar zou Frank Doggeman daarvoor zijn bed uit gekomen zijn? Hij betwijfelt het. Maar wat haalt hij zich nou in zijn hoofd? Natuurlijk verdenken ze hem niet. Welk motief zou hij hebben om de boer te vermoorden. Ze konden het goed samen vinden en hij is niet eens naar de feestavond van de kermnis gegaan. Hij kijkt nog eens schuin naar de boer en hij rilt. Roerloos ligt hij daar, de luchthartige spotter. Hoe is het mogelijk? Vanmorgen liep hij nog vrolijk rond. Nee, het was gisterenmorgen, want het is nu al ver na middernacht. Het is al bijna melkenstijd. Hoe moet dat nou? De koeien kunnen niet wachten. Hij zit hier maar te niksen terwijl hij er nu al op uit zou moeten trekken om iemand te charteren om te helpen bij het melken. Straks nemen ze hem nog mee naar het bureau in de stad, want hij heeft tenslotte het dode lichaam van de boer gevonden. Maar hij zal zeggen dat hij er niets mee te maken heeft. Ze kunnen niks bewijzen.

Terwijl Siem zich zorgen zit te maken heeft de veldwachter de recherche telefonisch gealarmeerd en die komt onmiddellijk in actie. Tot zijn opluchting ziet Siem op een gegeven moment dan ook de lichten van een auto naderen en dat blijkt inderdaad een politieauto te zijn. De veldwachter in het dorp doet zijn politiewerk nog te paard, maar in de stad beschikt de recherche al over enkele politiewagens die bij dringende aangelegenheden worden ingezet. En de dood van een kermisganger is zo'n dringende aangelegenheid.
'Dit is de heer Boekhoven,' zegt de veldwachter tegen een rechercheur die zich vervolgens voorstelt als inspecteur Goddijn.
'Veldwachter Doggeman vertelde me dat u het dode lichaam gevonden hebt en dat u in dienst bent van de overleden boer. Klopt dat?'
'Ja meneer, dat klopt, maar met de dood van de boer heb ik niks te maken, hoor!'
'Daar zullen we het later over hebben. Eerst zullen mijn mannen en ik hier de boel afzetten.' Goddijn geeft vervolgens zijn instructies en de meegekomen politiemannen zetten een flink stuk grond rondom het lichaam van de boer af met linten.
'Maar ik heb geen tijd meer om hier langer te blijven, inspecteur,' zegt Siem en dan kijkt Goddijn hem met gefronste wenkbrauwen aan.
'U moet beschikbaar blijven voor nader verhoor, meneer Boekhoven.'
'En de koeien dan?'
'Die moeten dan maar even wachten.'
'Wat verstaat u onder even?'
'Dat kan ik niet precies zeggen, hoor! Dat hangt van het nadere verhoor af.' De inspecteur schudt een beetje geërgerd zijn hoofd, maar Siem wordt ook nijdig.
'U zult veel verstand van politiewerk hebben, maar van het werk op een boerenhoeve begrijpt u kennelijk niet veel,' reageert-ie.
'Nee, gelukkig niet,' grinnikt de inspecteur, maar als de veldwachter hem iets influistert, knikt hij begrijpend en tot Siem: 'U kunt gaan melken, maar u mag de hoeve niet verlaten totdat wij het onderzoek afgerond hebben.'

'En wie licht de vrouw van de boer in?' wil Siem nog weten en dan hoort hij dat veldwachter Doggeman die taak op zich zal nemen. Ze vertrekken even later samen naar Madezicht. Siem om ervoor te zorgen dat de koeien gemolken worden en de veldwachter om de boerin in te lichten.

'Bent u het, Boekhoven?' vraagt Lenie als ze de klink van de achterdeur hoort, maar het is een vreemde stem die 'nee' zegt en als ze naderbij komt ontwaart ze de veldwachter in de schemering van het achterhuis. 'O, bent u het, veldwachter. Is er iets met mijn man gebeurd?'
'Ja, er is iets met uw man, maar dat vertel ik u liever in een verlichte ruimte waar we rustig kunnen praten.' Het is voor Frank Doggeman geen dagelijkse kost een vrouw het overlijdensbericht van haar man over te brengen, maar hij voelt wel aan dat hij dat niet staande in een schemerig achterhuis moet doen.
'Is er iets ernstigs gebeurd?' vraagt ze als ze de lamp aangestoken heeft.
'Ja, het is ernstig, mevrouw; u moet maar even gaan zitten.' Zelf trekt hij ook een stoel bij en kijkt het jonge vrouwtje met een bezorgde blik aan. 'We hebben uw man een goed uur geleden langs de kant van de weg gevonden.'
'Zo dronken als een toeter, zeker,' veronderstelt ze, maar Doggeman schudt zijn hoofd.
'Uw man bleek overleden te zijn.'
'Overleden? Hoe kan dat nou? Toen ik gisteravond laat Het Tappunt verliet zat hij nog vrolijk te pimpelen.' Ze kijkt de politieman met grote ogen aan en begrijpt er niets van.
'Hoe het kan wordt momenteel door de recherche uit de stad onderzocht.'
'De recherche?'
'Het ziet ernaar uit dat uw man geen natuurlijke dood gestorven is. Ik zal u de details besparen, maar ik vond het wel nodig de recherche in te schakelen.'
'En waar is Henk nu?'
'Het lichaam van uw man wordt voor nader onderzoek meegenomen naar het hoofdbureau van politie in de stad. Zodra ze met dat

onderzoek klaar zijn zal het worden vrijgegeven.'
'Tjonge, wat 'n bericht! Ik moet even bijkomen, hoor!'
'Zal ik een kroes water voor u pompen?'
'Nee, doet u geen moeite, het gaat alweer.' Ze glimlacht flauwtjes en de veldwachter kan geen hoogte krijgen van de kersverse weduwe. Hij had verwacht dat ze minstens in snikken zou uitbarsten, maar niets van dat alles.
'Over enkele uren, want het begint al te dagen, kom ik terug met een inspecteur uit de stad om verder te praten.'
'Dat is goed, maar voordat u weggaat wil ik nog graag weten of u onze knecht, Siem Boekhoven, ook gezien hebt. Hem heb ik via zijn vrouw gevraagd mijn man te gaan zoeken toen hij maar niet thuiskwam.'
'De heer Boekhoven heeft uw man gevonden en mij daarna geïnformeerd. Hij zal zo wel komen, want hij zei dat-ie moest gaan melken. Nog wel gecondoleerd met het verlies van uw man en sterkte in de komende tijd, mevrouw.'
'Dank u, tot straks.' Ze loopt met hem mee tot de deur en keert dan terug naar het achterhuis. Henk dood! Ze is verdoofd door het bericht en de werkelijkheid dringt nog niet volledig tot haar door. Geen natuurlijke dood, zei de veldwachter. Dat betekent dus dat hij vermoord is, maar door wie in vredesnaam?
'Wat is er toch aan de hand, Lenie?' Dien Beuvink strompelt het achterhuis in. 'Het is nog geen melkenstijd en nu al hoor ik stemmen en rumoer. Waar is Henk?'
'De veldwachter was hier. Henk is niet thuisgekomen van de kermis. Siem Boekhoven heeft hem vannacht langs de kant van de weg gevonden.'
'Gewond?'
'Nee, dood!'
'Dood? Het is toch zeker niet waar!' En als Lenie knikt, zakt ze op een stoel en laat haar hoofd op de tafel zakken; haar schouders schokken. 'Wat is er dan gebeurd, Lenie?' De oude meid licht haar hoofd op en kijkt haar jonge bazin met betraande ogen aan.
'Dat weet ik niet, Dien. Het enige wat ik weet is dat Henk geen natuurlijke dood gestorven is.'
'Heeft de veldwachter dat gezegd?'

'Ja.'
'Die jongen is voor het ongeluk geboren,' steunt Dien en ze weet waar ze over praat, want ze kent de vermoorde boer al vanaf zijn kleuterjaren. Ze heeft er altijd een vermoeden van gehad dat hij van Maartje hield, maar moest trouwen met de zieke Corrie Terlinge. Ze weet ook dat hij en Lenie niets om elkaar gaven en dat alleen geld een rol speelde. Zelf hield ze wel van Henk en meermalen klaagde hij zijn nood bij haar, maar zij mocht zich nergens mee bemoeien en nu is hij dood en niet zomaar dood, nee, hij is vermoord. 'En wat gebeurt er nou verder, Lenie?' vraagt ze, moeizaam overeind komend.
'Over een paar uur komt de veldwachter terug met een inspecteur uit de stad om met me te praten. Henk is door de politie meegenomen naar het hoofdbureau in de stad voor onderzoek.'
'Och, och, wat een toestand! Gecondoleerd, hoor meissie.'
'Jij ook, Dien, want jij hield veel van Henk, hè?'
'Ja, ik heb er veel verdriet van en het ergste vind ik nog dat er iemand rondloopt die het op zijn leven gemunt heeft. Hopelijk pakt de politie die vent gauw.
Dezelfde hoop heeft inspecteur Goddijn, die zich voorneemt geen middel onbenut te laten om de dader van deze laffe moord in de kraag te vatten.

HOOFDSTUK 10

Geen mens in het kleine dorp aan de Made herinnert zich dat er in de kermisnacht een dode gevallen is. Thijs van den Berg, zoon van de rietdekker, is die morgen bleek van schrik teruggekeerd naar de zaak van zijn vader. In de vroege morgen was hij op weg naar een karwei toen hij op de weg die langs de bosrand voert, politiemensen het dode lichaam van Henk Cromhout een auto in zag dragen. Hij herkende de boer aan zijn opvallende kleding die hij ook tijdens het kermisfeest droeg. En dat de boer dood is leidde hij af uit een opmerking van een van de mannen.
Als een lopend vuurtje gaat het ontstellende nieuws door het dorp en als er vreemde agenten de kroeg van Leen Vos binnengaan, ontstaan er de wildste geruchten. Niemand weet er het fijne van, maar als er één het woord 'moord' uit zijn mond laat vallen, wordt er meteen gegist naar een motief en een dader.
Wie niet gewend is te gissen naar motieven en daders bij misdrijven is inspecteur Johan Goddijn. Het is zijn beroep in dat soort gevallen met overtuigende bewijzen te komen om dieven en moordenaars te kunnen arresteren en voor de rechter te brengen. Zo ook in de zaak van de vermoorde boer van het kapitale Madezicht. Terwijl de kermisklanten hun attracties afbreken is de inspecteur samen met de veldwachter op weg naar de weduwe van de vermoorde boer. Collega's van hem noteren de namen van de kermisklanten, want roofmoord door een van hen wordt niet op voorhand uitgesloten. Met de veldwachter is hij eerst naar Het Tappunt gegaan om de waard toestemming te vragen de verhoren daar te doen plaatsvinden. Niets wordt er aan het toeval overgelaten en het is dan ook niet verwonderlijk dat de dorpelingen de verrichtingen van de politiemensen met meer dan gewone belangstelling volgen. De gang van enkelen van hen naar het kermisterrein doet al meteen het vermoeden rijzen dat daar de dader van de laffe moord gezocht zal moeten worden. Sommigen die Henk Cromhout de vorige avond in de kroeg van Leen Vos bezig gezien hebben, weten zeker dat roof het motief voor de moord geweest moet zijn. Immers, Henk gaf rondje na rondje en als hij betaalde, puilden de bankbiljetten uit zijn goedgevulde portefeuille. Dat

een stomdronken smidsknecht de overspelige boer een onbedoeld dodelijke afstraffing gegeven heeft, komt in de bevooroordeelde breinen van de dorpelingen niet op.

'Gecondoleerd met het verlies van uw echtgenoot, mevrouw,' zegt inspecteur Goddijn als hij Lenie Cromhout de hand schudt na zichzelf voorgesteld te hebben. Het valt de geroutineerde rechercheur onmiddellijk op dat de jonge boerin niet zo erg onder de indruk is van de dood van haar man. Van de veldwachter heeft hij al een soortgelijk verhaal gehoord en nu merkt hij het zelf. Wat hem ook opvalt is het grote leeftijdsverschil tussen de overleden boer en dit jonge boerinnetje. Van Doggeman heeft hij begrepen dat ze zo'n twintig jaar schelen en, evenals de veldwachter, die ook in een grote stad is opgegroeid, begrijpt hij niet waarom mensen met zo'n groot leeftijdsverschil met elkaar trouwen. Tijdens het verloop van het onderzoek zal hem dat trouwens wel duidelijk worden.
'Kunt u er tegen als ik u meteen enkele vragen stel, mevrouw?' vraagt de inspecteur voorzichtig. 'Het is namelijk in het belang van het onderzoek dat wij alle feiten kennen.'
'U vraagt maar, hoor!' reageert Lenie monter. Ze vindt het vreselijk wat er gebeurd is, maar verdriet heeft ze niet.
'Dan wil ik graag weten wanneer u uw man voor het eerst miste.'
'Vannacht. Het was al ver na middernacht toen ik merkte dat hij nog steeds niet thuis was. Maar dat heb ik al aan de veldwachter verteld, hoor!'
'Vertelt u alles nog maar een keer, want ook ik wil een volledig beeld hebben van de gebeurtenissen gisteravond en vannacht. U bent kennelijk niet gelijk met uw man naar huis gegaan na het kermisfeest. Klopt dat?'
'Ja, dat klopt.'
'Waarom ging u niet samen met hem naar huis?'
'Ja, waarom niet? Daar had ik zo mijn redenen voor.'
'Welke redenen?'
'Dat is erg persoonlijk, inspecteur.'
'Ook, of liever gezegd, vooral de persoonlijke dingen interesseren mij, mevrouw. Welke redenen had u om niet samen met uw man naar huis te gaan?'

'Nou ja, als u het per se weten wilt: hij keek nauwelijks naar mij om, goot de ene borrel na de andere naar binnen en kon bijna niet meer op zijn benen staan; toen ik er iets van zei, snauwde hij me weg.'
'Bent u toen alleen naar huis gegaan?'
'Nee, met een kennis.'
'Een man?'
'Ja.'
'Wat is zijn naam?'
'Dat doet toch niet ter zake.'
'Alles is van belang voor het onderzoek, mevrouw. Ik neem toch aan dat ook u wilt dat de dader van de laffe moord op uw man gepakt wordt.'
'Ja natuurlijk, maar de jongen die mij thuisgebracht heeft, heeft niets met de moord te maken.'
'Iedereen is onschuldig tot zijn of haar schuld bewezen wordt. Hoe heet die jongen?'
'Teun Boekhoven.'
'Weet u waar hij heengegaan is nadat hij u thuisgebracht heeft?'
'Ik neem aan naar De Windhoek, dat is de hoeve waar hij werkt.'
'Dank u voor uw medewerking tot nu toe. Wij zullen elkaar zeker nog spreken. Goedemorgen en sterkte in de komende dagen.' De inspecteur en de veldwachter nemen afscheid en zullen de verhoren voortzetten in Het Tappunt.
'Dat is zoals je al zei, Doggeman, echt een koude kikker. Als je het mij vraagt heeft ze niets om haar man gegeven. Misschien is ze wel gek op die jongen die haar thuisgebracht heeft, die Boekheuvel of hoe heet-ie?'
'Teun Boekhoven. Hij is knecht bij boer Van Es op De Windhoek. Het is trouwens de zoon van de man die het lijk van Cromhout gevonden heeft.' Frank Doggeman zal op uitdrukkelijk verzoek van de inspecteur bij alle verhoren aanwezig zijn, omdat hij al jaren veldwachter in het dorp is en bijna iedereen kent.
'O ja, Boekhoven. Die knaap wil ik ook wel spreken, maar eerst gaan we eens praten met de waard van de dorpskroeg.'

'De heren zullen wel trek hebben in een kop koffie,' veronderstelt Leen Vos; 'of hebt u op Madezicht al koffiegedronken?' De waard is al eerder geïnformeerd.
'Nee, daar zijn we maar heel kort geweest. Ik ruik de koffie al en maak van uw aanbod graag gebruik, meneer Vos,' zegt Goddijn, de heerlijke geur opsnuivend. Samen met de veldwachter kiest hij een rustig plaatsje uit in een hoek van de gelagkamer, waar de koffie geserveerd wordt.
'Als er iets van uw dienst is, hoor ik het wel, heren.'
'Is het veel gevraagd om een bordje met 'gesloten' voor de deur te hangen, meneer Vos?' vraagt Goddijn en daar heeft de kroegbaas geen bezwaar tegen.
'Het is gisteravond heel laat geworden, dus verwacht ik geen gasten,' zegt-ie.
'Kom er even bij zitten, meneer Vos, want ik heb u wat vragen te stellen.'
'U vraagt maar, inspecteur.'
'Is u iets speciaals opgevallen aan het gedrag van de gasten in het algemeen en aan dat van het slachtoffer in het bijzonder?'
'Nee, eigenlijk niet. Het was een kermisavond als ieder jaar. Wat mij wel opviel was dat Henk Cromhout vaak met Geertje Boon, de vroegere meid van Madezicht, danste en minder met zijn eigen vrouw. Ik heb de indruk dat het huwelijk tussen die twee geen groot succes was.'
'Waar leidde u dat uit af?'
'In de eerste plaats omdat-ie, zoals ik al zei, steeds met een ander danste, te veel dronk en aan het einde van de avond ook nog ruzie kreeg met zijn vrouw, waarna ze kwaad wegging.'
'Alleen?'
'Nee, ze vertrok bijna gelijktijdig met Teun Boekhoven.'
'Voorlopig heb ik voldoende informatie, meneer Vos,' en tot de veldwachter: 'Haal die Boekhoven maar op voor verhoor, Doggeman.'

'Schrik niet, vrouw Van Es, ik kom voor Teun Boekhoven,' zegt Doggeman maar gauw als hij ziet dat zijn verschijning op De Windhoek de boerin schrik aanjaagt.

‘Ik schrik toch, veldwachter, want politie zie je hier niet alledag en dus zal er wel iets aan de hand zijn,’ reageert Bep van Es. ‘Wat is er met Teun?’
‘Zover ik weet niets, maar ik had hem graag even gesproken. Weet u waar hij is?’
‘Volgens mij is hij achter op het erf bezig; ik zal hem wel even roepen.’
Terwijl Doggeman wacht, haalt de boerin Teun op en die is even verbaasd als zij als hij de veldwachter ziet.
‘Komt u voor mij, veldwachter?’
‘Je moet even mee naar Het Tappunt, Boekhoven. Inspecteur Goddijn van de recherche wil je spreken.’
‘Waar gaat het dan over?’ Teun begrijpt er niets van. De Windhoek ligt enkele kilometers buiten de kern van het dorp en de berichten over de dode boer zijn daar nog niet doorgedrongen.
‘Op het onderhoud dat je met de inspecteur zult hebben, kan ik niet vooruitlopen. Heb je vervoer?’
‘Ja, ik trek even iets anders aan en pak dan mijn fiets.’ En nagestaard door de verbaasde boerin vertrekt hij even later samen met de veldwachter naar het dorp.
‘Gaat u zitten, meneer Boekhoven. Ik ben inspecteur Goddijn en ik wil u enkele vragen stellen, die ik u verzoek volledig en naar waarheid te beantwoorden.’
‘Dat klinkt nogal officieel, inspecteur. Kunt u me eerst niet vertellen waar het eigenlijk over gaat?’
‘Nog niet, maar nadat u mijn vragen beantwoord hebt, zal het u wel duidelijk worden. Voorlopig stel ik de vragen. Ik heb begrepen dat u hier gisteravond op het kermisfeest was. Dat klopt toch?’
‘Ja, dat klopt.’
‘Was u in gezelschap van een meisje of vrienden?’
‘Geen meisje, maar mijn kameraden waren er wel.’
‘U had zelf geen meisje, maar ik heb begrepen dat u de boerin van Madezicht wel thuisgebracht hebt.’
‘Is er iets met Lenie?’ Teun schrikt en moet een paar keer slikken, maar de inspecteur schudt zijn hoofd. ‘Als Lenie dezelfde is als mevrouw Cromhout, dan kan ik u geruststellen. Met haar is niets

aan de hand, maar waarom maakt u zich daar zo'n zorgen om?'
'Omdat Lenie... eh... mevrouw Cromhout en ik elkaar al vanaf onze kleutertijd kennen.'
'Bent u nog bevriend met haar?'
'Maar waarom wilt u dat toch allemaal weten, inspecteur?'
'Ik zei zojuist dat ìk hier de vragen stel, meneer Boekhoven, dus geef me gewoon antwoord. Dus nogmaals: bent u nog bevriend met mevrouw Cromhout?'
'Wat noemt u bevriend? We mogen elkaar graag.'
'Is dat niet wat voorzichtig uitgedrukt? Is het niet zo dat u van haar en zij van u houdt?'
'Voor een gewone boerenknecht als ik is de dochter van een rijke boer geen partij, inspecteur. Geld trouwt hier met geld en liefde speelt geen enkele rol voor de boeren.'
'Maar wel voor u en ook voor Lenie, zoals u de boerin noemt, neem ik aan.'
'Wat schieten we ermee op, inspecteur?'
'Nou ja, het kan zijn dat u de jonge boerin gisteravond een beetje getroost hebt.'
'Heeft ze dat gezegd?' Het zweet breekt Teun uit, vooral omdat hij er geen flauw idee van heeft waar de inspecteur met zijn gevraag heen wil. De vrijpartij met Lenie is gisteravond erg uit de hand gelopen, maar ook zij genoot ervan. Wat kan er toch gebeurd zijn dat de politie er nu van op de hoogte is?
'Zegt u het maar; heb ik gelijk met mijn veronderstelling dat u haar een beetje getroost hebt?' De ervaren inspecteur voelt aan dat hij beet heeft. Dat boerinnetje liet vanmorgen al doorschemeren dat zij gek op deze jongen is en hij natuurlijk op haar. Die twintig jaar oudere boer heeft met zijn vele geld een wig tussen die twee gedreven en moest uit de weg geruimd worden. De puzzelstukjes beginnen op hun plaats te vallen.
'Zij wilde het zelf ook, inspecteur.'
'Dat neem ik aan, want zij houdt ook veel van u en niet van haar man.'
'Ze schelen twintig jaar. De boer van Madezicht had haar vader kunnen zijn.'
'En toch zijn ze getrouwd en dat pikte u niet. Waar bent u gister-

avond heen gegaan nadat u mevrouw Cromhout thuisgebracht hebt?'
'Naar De Windhoek, dat is de hoeve waar ik werk en slaap.'
'Rechtstreeks of hebt u nog een omweggetje gemaakt?'
'Waarom zou ik een omweggetje maken?'
'Om boer Cromhout op te wachten, bijvoorbeeld.'
'Ik begrijp niet wat u bedoelt.'
'Zal ik je een handje helpen, jongen?' De inspecteur laat de formele toon wat los en begint de knaap op zijn gemoed te werken. Hij weet uit ervaring dat er daardoor eerder een bekentenis volgt, want dat hij de moordenaar van de boer voor zich heeft, is hem zo langzamerhand wel duidelijk.
'Waarmee wilt u me dan helpen?'
'Als je nu eens eerlijk vertelt wat je met boer Cromhout gedaan hebt, dan valt er een hoop spanning van je af.'
'Wat is er dan met de boer gebeurd?'
'Zeg het maar, jongen! Ik begrijp best dat je wilde afrekenen met de kerel die je je lieve meisje afhandig heeft gemaakt. Beken nou maar dat je hem vermoord hebt, dan ben je ervan af!'
'Vermoord? Is Henk Cromhout dood?' Teun kijkt de inspecteur met zo'n oprecht verbouwereerde blik aan, dat de ervaren politieman begint te twijfelen. 'Zeg nou eens iets, inspecteur!' dringt Teun aan. Hij is verbijsterd door de mededeling van de politieman, maar hij verbeeldt zich even dat hij het verkeerd begrepen heeft.
'Je doet nou net of ik je een nieuwtje vertel, Boekhoven.'
'Maar ik kan niet geloven dat de boer dood is. Waaraan is hij dan gestorven en waarom stelt u mij allemaal vragen?'
'Boer Cromhout is niet zomaar dood, hij is vermoord.' En tot de veldwachter: 'Zoek een veilig plekje voor deze jongen, Doggeman.'
Nadat Teun onder bewaking van een politieman elders in Het Tappunt wordt ondergebracht overlegt de inspecteur met de veldwachter wie ze vervolgens aan de tand gaan voelen, want beiden beginnen serieus te twijfelen aan de schuld van Teun Boekhoven.
'Het slachtoffer danste de hele kermisavond met ene Geertje Boon. Kun je die voor me halen, Doggeman?' vraagt Goddijn en

de veldwachter knikt. 'Ik zal even nagaan waar ze is en haal haar dan meteen op, inspecteur.'

Ook Geertje blijkt meid te zijn geworden op een hoeve die ver van de dorpskern af ligt en dus geeft zij er blijk van ook nog onkundig te zijn van de gebeurtenissen die hebben plaatsgevonden. Natuurlijk begint zij met het stellen van vragen, maar de inspecteur is onverbiddelijk. Hij stelt de vragen en Geertje moet ze beantwoorden.
'Naar ik begrepen heb was u hier gisteravond met uw vriend om het kermisfeest te vieren. Klopt dat, juffrouw Boon?'
'Ja, dat klopt. Ik was hier niet met een vriend, hoor, maar met mijn vrijer Cors Eemhof. En wilt u me gewoon Geertje noemen, want ik vind 'juffrouw' en 'u' zo eng.' Ze krijgt een kleur als ze het zegt en zelfs de inspecteur is dan onder de indruk van het ongekunstelde knappe meisje.
'Zo je wilt, Geertje,' glimlacht Goddijn. 'Jij was hier dus met je vrijer Cors Eemhof, maar je danste praktisch de hele avond met de boer van Madezicht. Waarom?'
'Henk Cromhout is een van de belangrijkste boeren van het dorp en ik durfde hem niet te weigeren.'
'En wat vond je vrijer daarvan?'
'Die bleef aan de bar zitten en dronk zich van ergernis een stuk in zijn kraag.'
'Ergerde hij zich alleen aan dat dansen van jou met die boer?'
'Nee, hij koesterde al een poos een wrok tegen de boer en kon zijn aanwezigheid op de feestavond zelfs niet verdragen.'
'Waarom koesterde Cors een wrok tegen de boer?'
'Dat is een vervelend verhaal, meneer.'
'Vervelend voor Cors alleen of ook voor jou?'
'Voor ons beiden, maar moet ik dat vertellen?'
'Ja, er is iets gebeurd waardoor het belangrijk is dat je ons alles eerlijk vertelt. Is het iets waarvoor je je schaamt?'
'Cromhout moet zich ervoor schamen, ik niet!'
'Waarvoor moet Cromhout zich schamen?'
'Omdat hij zijn handen niet thuis kon houden en me zelfs geld bood om met hem in het hooi te kruipen.'

'En dat laatste vertikte je natuurlijk.'
'Vanzelf! Ik ben geen hoer.'
'En toen?'
'Toen ben ik weggelopen en niet meer teruggegaan.'
'En toen was Cors woedend, neem ik aan.'
'Ja, natuurlijk, maar ik heb het hem pas verteld toen hij me beloofd had niet meteen als een dolle stier verhaal te gaan halen bij de boer.'
'Dreigde hij daar aanvankelijk mee?'
'Ja.'
'Maar was Cors een beetje gekalmeerd toen jullie gisteravond naar huis gingen?'
'We zijn niet samen vertrokken. Hij was al eerder kwaad weggelopen.'
'Waarom kwaad?'
'Omdat Leen Vos, de waard hier, hem geen drank meer wilde geven en dat kan ik me wel voorstellen, want hij was zo dronken dat hij nauwelijks meer op zijn benen kon staan. Naar mij taalde hij niet meer en ik heb hem niet meer gezien ook.'
'Ik weet wel genoeg, Geertje, je kunt gaan,' zegt Goddijn.
Als Geertje weg is vraagt hij de waard hoe dronken die Cors Eemhof was.
'Apezat,' zegt Vos, maar zijn nichtje die bezig is de rommel op te ruimen en het hoort, vindt het maar vreemd. Zij hielp op de kermisavond en zag dat Cors alle borrels die hij kreeg of zelf bestelde, in een bloemenvaas kieperde. Ze zegt het tegen haar oom.
'Welke bloemenvaas, Lientje?' vraagt hij en als ze die aangewezen heeft ruikt hij eraan en gaat ermee naar Goddijn.
'Ik heb de indruk dat die Cors de boel voor de gek gehouden heeft, inspecteur,' zegt-ie en laat de politieman aan de vaas ruiken.
'Wat is die Cors voor een knul, meneer Vos?'
'Cors Eemhof is knecht bij de smid en hij is beresterk. Een dommekracht eigenlijk.'
'Maar niet dom genoeg om ons allemaal bij de neus te nemen,' vindt de inspecteur. 'Haal hem maar op, Doggeman.'
Als de veldwachter bij de smid komt blijkt ook daar nog niemand

op de hoogte van het dramatische gebeuren te zijn. Cors schrikt wel, want zijn knuisten doen nog pijn van het harde beuken op de kop van de boer. De komst van de veldwachter brengt hij daarmee in verband.
'Heeft boer Cromhout zich bij u beklaagd, veldwachter?' vraagt-ie dan ook. 'Als een grote boer een bloedneus oploopt is de politie paraat, maar als diezelfde boer niet met zijn gore poten van een jong meisje af kan blijven, gaat-ie vrijuit.'
'Vertel dat straks maar tegen de recherche, Eemhof.'
'De recherche? Waar?'
'Je gaat even met me mee naar Het Tappunt voor verhoor.'
'Wat voor verhoor?'
'Dat zul je wel zien.' Als ze samen bij Het Tappunt aankomen licht Doggeman de inspecteur even in en die confronteert de smidsknecht meteen met de bloemenvaas.
'Wat ruik je, Eemhof?'
'Jenever.'
'Hoe zou er nou jenever in een bloemenvaas komen?'
'Weet ik veel?'
'Ik weet het wel en jij weet het ook.'
'Nou ja, ik geef het toe. Ik wilde niet dronken zijn als ik de boer die rottigheid met mijn meisje uitgehaald heeft, een pak slaag ging geven. Ik wist niet dat-ie me herkend had en nog minder dat-ie meteen naar de politie gelopen is.'
'Dat pak slaag van jou is een beetje hard aangekomen, Eemhof. Die boer kon niet meer naar de politie gaan, want hij heeft jouw klappen niet overleefd. Voer hem maar af, mannen,' geeft hij ten slotte opdracht aan de wachtende agenten. Het is de inspecteur wel duidelijk dat hier geen sprake is van moord, maar van mishandeling de dood ten gevolge hebbend. Dat scheelt nogal in de strafmaat.

•

Als het lichaam van Henk Cromhout door de recherche in de stad is vrijgegeven, wordt hij opgebaard in de mooie kamer van Madezicht. Nog dezelfde avond krijgen de familieleden en omwonenden gelegenheid afscheid te nemen van de overledene en te bidden voor zijn zielenheil. De gemeenplaats: 'Hij legt er

môi bai' blijft deze keer achterwege, want de harde klappen van de smidsknecht hebben hun sporen nagelaten op het gezicht van de dode.
Het gezin Boekhoven is ook aanwezig en met een smartelijke blik kijkt Maartje naar de dode man die zoveel in haar leven betekende en die de vader is van haar enige zoon. Ze kijkt naar zijn slanke handen die haar gestreeld hebben en naar zijn zwarte haardos waardoor ze meteen na de geboorte van Teuntje wist dat het zijn zoontje was. Ze pinkt een traan weg en Siem kijkt haar bevreemd aan. Lenie staat er met droge ogen bij en zoekt steeds de blik van Teun. Hij knikt haar bemoedigend toe en zij glimlacht terug. Schande vindt ze het dat de politie haar lieve jongen ervan verdacht Henk te hebben vermoord. Nog geen tien minuten geleden heeft hij het haar verteld. Als een boef werd hij opgesloten in een kamertje van Het Tappunt terwijl de echte boef, in de persoon van Cors Eemhof, op dat moment nog vrij rondliep. Zij was zelf ook nijdig op Henk omdat hij de hele avond met Geertje danste en naar haar niet taalde, maar om hem daarvoor dood te slaan, gaat wel erg ver. Enfin, die lompe smidsknecht zal zijn straf niet ontlopen.

Enkele dagen later is de begrafenis. Meneer pastoor houdt in zijn preek de gelovigen voor dat het leven toch zo betrekkelijk is. 'Madezicht is wel erg zwaar getroffen door eerst de dood van de boerin en nu van de boer,' zegt hij. 'Geweld tijdens de jaarlijkse kermis komt, ondanks mijn vermaningen, nog steeds voor en nu zelfs met dodelijke afloop. Een jong leven is verwoest en een ander jong leven draagt voor de rest van zijn bestaan de schuld van dat verwoeste leven met zich mee. Het is heel jammer dat door dit geweld een vooraanstaand parochiaan onze gemeenschap op zo'n jonge leeftijd moest ontvallen.'
Na de absoute wordt de kist, begeleid door de klanken van het orgel, de kerk uit gedragen. Het koor zingt de antifoon: 'In paradisum dedúcant te Angeli: in tuo advéntu suscipiant te Mártyres, et perdúcant te in civitátem Jerúsalem.' Eerst volgt de familie de kist en daarachter gaan de overige kerkgangers. Het grind knarst onder de voeten van de lange rij belangstellenden. Bij het graf

spreekt pastoor Huibrechts nog enkele gevoelige woorden en dan krijgt iedereen de gelegenheid een schepje aarde op de kist te werpen. Als Maartje het gedaan heeft wendt ze zich snikkend af en voor de derde keer in enkele dagen tijds vraagt Siem zich af waarom zijn vrouw toch zo treurt om de dood van de boer. Zelf had hij aan Henk Cromhout geen slechte baas, maar op zijn levenswandel had hij toch wel iets aan te merken.

Waarom Maartje zoveel verdriet heeft om de dood van de boer blijkt enkele weken later als er bij haar een brief van notaris Ten Have op de deurmat valt. Zelf maakt ze de envelop niet open, maar wacht tot Siem thuiskomt. 'Hij is aan Teun gericht, Siem. Maak je hem open?'
'Teun komt pas zondag weer en misschien is het dringend.' Siem scheurt de envelop open en leest.
'Wat schrijft de notaris?'
'Hij verzoekt Teun volgende week dinsdag op zijn kantoor te komen.'
'Teun op zijn kantoor?' Maartje wordt rood en het zweet breekt haar aan alle kanten uit. Dit bericht moet te maken hebben met de dood van Henk.
'Schrik je daar zo van?' vraagt Siem verbaasd.
'Nee... nou ja... ik ben een beetje overdonderd door dit bericht,' stamelt ze. Wat haar werkelijk aan het schrikken maakt durft ze niet te zeggen, maar ze is wel bang dat het lang bewaard gebleven geheim tussen haar en Henk geopenbaard zal worden.
Als Teun die zondag thuiskomt wordt hem de brief getoond. 'Wat zal de notaris mij nou te melden hebben?' vraagt hij verbaasd, maar noch Siem, noch Maartje kan het hem vertellen. Haar vermoeden dat het met de dood van Henk te maken heeft, spreekt ze ook tegen haar zoon niet uit.
'Ik vind het een beetje eng om alleen naar zo'n deftig iemand te gaan. Wil je met me meegaan, pa?' vraagt hij en Siem knikt. 'Natuurlijk wil ik dat, jongen.'
'Wil jij soms ook meegaan, moe?' Maar Maartje schudt haar hoofd en zegt dat hij en pa maar samen moeten gaan.

Wat niemand weet is dat Henk Cromhout, in de wetenschap dat Teun Boekhoven zijn zoon is, bij notaris Ten Have een wilsbeschikking heeft achtergelaten. Hierin staat dat de jongen, indien na zijn dood nog in leven, recht heeft op een kwart van zijn nalatenschap.
De bel in de grote hal van het notariskantoor galmt nog na als de deur al geopend wordt en een meisje Teun en diens vader voorgaat naar de werkkamer van de notaris. In het vertrek staan grote eikenhouten kasten vol boeken in zware lederen banden en in het midden staat een antieke mahoniehouten tafel met hoge leunstoelen eromheen. 'Neemt u hier maar plaats, heren, de notaris komt zo,' zegt het meisje. Ze glimlacht als ze ziet dat de bezoekers op het puntje van de dure stoelen gaan zitten. 'Gaat u maar gemakkelijk zitten, hoor! De stoelen zijn sterk genoeg,' moedigt ze het timide tweetal aan.
En dan komt de notaris, met in zijn kielzog een klerk, binnen en legt een map op de tafel.
'Welkom, heren. Wie van u is Antonius Gerardus Boekhoven?'
'Dat ben ik, notaris,' zegt Teun.
'Dan verzoek ik u aandachtig te luisteren, want de overleden boer van Madezicht, de heer Hendrikus Cromhout, heeft voor u een belangrijke boodschap in zijn laatste wilsbeschikking achtergelaten.'
'Voor mij?' vraagt Teun. Hij zit op het puntje van zijn stoel en kijkt eerst zijn vader aan, maar die haalt zijn schouders op ten teken dat hij er ook niets van begrijpt.
'Ja, voor u. Ik zal u voorlezen wat de heer Cromhout, zaliger nagedachtenis, voor u heeft laten opnemen in zijn laatste wilsbeschikking.' De notaris leest en naarmate hij meer details noemt neemt de verbijstering op de gezichten van de twee bezoekers toe. Als hij ten slotte voorleest dat de boer een kwart van zijn vermogen nalaat aan Teun, reageren beiden met ongeloof.
'Waarom krijgt mijn zoon dat, notaris?' vraagt Siem, maar de notaris haalt zijn schouders op. 'De overledene heeft geen toelichting op zijn wilsbeschikking gegeven, meneer Boekhoven.' En zich tot Teun richtend: 'U moet me maar laten weten hoe en wanneer u over het u toekomende bedrag wilt beschikken.'

De verbijstering is nog van hun gezichten af te lezen als Siem en Teun thuiskomen. 'Ik heb een kwart van het vermogen van boer Cromhout geërfd, moe,' zegt Teun met een rood hoofd van opwinding. Hij kan het nog steeds niet bevatten dat hij in één klap een rijk man geworden is, want het bedrag dat de notaris noemde is zó onmetelijk groot, dat hij daar vele jaren voor zou moeten werken om het te kunnen verdienen.
'Heb jij van Henk geërfd?' Maartje kijkt haar zoon met grote ogen aan en tot zijn en Siems verbazing barst zij op hetzelfde moment in snikken uit en is niet tot bedaren te brengen.
'Wat is er nou, moe?' vraagt Teun verbaasd. Hij slaat een arm om haar heen en begrijpt er niets van. Teun begrijpt het niet, maar bij Siem begint een lampje te branden.
'Toen jij hoorde dat de boer dood was en ook bij zijn begrafenis was jij erg van streek, Maartje,' zegt hij. 'Nu je hoort dat Teun geërfd heeft barst je weer in snikken uit. Zou jij ons niet eens vertellen wat er aan de hand is?'
'Ik durf het niet, Siem, want ik ben zo bang dat je niks meer van me wilt weten als je de waarheid kent.' Ze gaat aan de tafel zitten, steunt haar hoofd in haar handen en haar schouders schokken.
'Ik wil de waarheid weten, Maartje,' zegt Siem, die bleek geworden is, omdat er bij hem een vermoeden rijst. 'Had jij iets met de boer?'
'Zal ik weggaan, moe, zodat jullie het samen kunnen uitpraten?' vraagt Teun, die naast zijn moeder is gaan zitten en een arm om haar heen geslagen heeft.
'Nee, jongen, blijf er maar bij,' steunt Maartje, haar zoon met betraande ogen aankijkend. 'Ik zal jullie alles vertellen.' En terwijl Siem met een strak gezicht toekijkt en Teun met een arm om zijn moeder heen naast haar blijft zitten, vertelt Maartje haar verhaal. Het klinkt vooral Teun bekend in de oren, want hem is precies hetzelfde overkomen met dit verschil dat hij nog niet getrouwd is. Ook als zij vertelt dat hun liefdesrelatie nog voortduurde tot na haar trouwen met vader Siem, realiseert hij zich dat Lenie precies hetzelfde gedaan heeft. Maar dan komt voor hem de grote schok als zijn moeder vertelt dat zijn geboorte het gevolg was van die liefdesrelatie. Hij is met stomheid geslagen en kan

niet helder meer denken. Naast hem barst zijn moeder in een onbedaarlijk snikken uit en automatisch slaat hij weer een arm om haar heen om haar te troosten.
Siem staat bleek als een doek en handenwringend naast de tafel.
'Dus Teun is niet mijn zoon,' kreunt hij. 'Hoe kon je me zó bedriegen?'
'Vergeef het me, Siem. Het is daarna echt nooit meer gebeurd.' Ze smeekt het hem en Teun heeft erg met zijn moeder te doen. Ook hij is van streek door haar bekentenis. Het is ook niet niks van de ene op de andere minuut te moeten ontdekken dat je vader niet degene is die je er je leven lang voor versleten hebt, maar dat je je echte vader enkele weken eerder begraven hebt. Als hij aan zijn eigen liefde voor Lenie denkt en aan de innige manier waarop hij in de kermisnacht met haar is omgegaan, dan heeft hij hetzelfde gedaan als zijn moeder met de boer toen die jong was.
Intussen zit Siem met een strak en bleek gezicht in zijn stoel. Hij is nooit een groot prater geweest, maar nu is hij letterlijk met stomheid geslagen. En dan komt de ontlading en wat Maartje, noch Teun ooit van hem gezien hebben, gebeurt. Hij barst uit in een onbedaarlijk snikken. Zijn schouders schokken, maar als Maartje haar arm om zijn schouder legt, schudt hij die af. Dan loopt-ie, nog nasnikkend, met zijn handen voor zijn gezicht naar buiten en laat Maartje en Teun bijna radeloos achter. 'Ga hem achterna, Teun!' kermt Maartje in paniek. Wat ze vreesde is gebeurd. Siem keert zich van haar af. Ze is ten prooi aan een hevige emotie.
'Nou begrijp ik waarom je moeder zo bedroefd was na de dood en bij de begrafenis van de boer,' zegt Siem als Teun naast hem komt lopen. 'Tot aan zijn dood heeft ze van de boer gehouden, maar met mij was ze getrouwd.' Het komt er verbitterd uit en Teun weet niet goed hoe hij moet reageren. Hij zit tussen twee vuren in. Hij kan zijn vader geen ongelijk geven, maar hij wil ook niet te veel schuld bij zijn moeder leggen.
'Wat ga je nou doen, pa?' vraagt hij zacht.
'Jij noemt mij gelukkig nog 'pa', jongen,' zucht hij.
'Natuurlijk noem ik jou 'pa'. Het is nooit anders geweest en het zal ook nooit anders worden. Wat er twintig jaar geleden gebeurd

is, zal geen enkele invloed hebben op mijn houding tegenover jou.'
'Die afgang wordt mij dan tenminste bespaard.'
'Ik begrijp heel goed dat je in je eer aangetast bent en erg verdrietig bent, pa, maar probeer het moeder niet al te zwaar aan te rekenen. Ik heb in de kermisnacht hetzelfde met Lenie gedaan als de boer destijds met moe. Lenie was de vrouw van de boer, maar ik hield en houd van haar. Moe kon niet met de boer trouwen omdat ze geen geld had en ik niet met Lenie om dezelfde reden. Nadat moe zwanger was van mij heeft ze je nooit meer bedrogen. Nogmaals pa, probeer het haar te vergeven.'
'Ik zal mijn best doen, jongen, maar er is wel iets kapot tussen je moeder en mij.'

Nog dagen na de dramatische bekentenis van Maartje heerst er een gedrukte stemming in het daggeldershuisje van Madezicht. Er worden geen drie woorden tussen de echtelieden gewisseld als ze met twee kunnen volstaan.
'Wat kijken jullie zuur!' zegt Truitje als ze op haar vrije zondag thuiskomt. 'Hebben jullie een citroen ingeslikt?' Ze vraagt het lachend, zet haar tas op tafel en haalt er voor haar vader een pakje tabak uit. 'Als jullie soms ruziegemaakt hebben dan kun je nu een vredespijp roken, pa,' grinnikt ze als ze hem het pakje geeft.
'Voor jou heb ik ook wat, moe, maar je krijgt het pas als je wat vrolijker kijkt.'
'Ga eens even zitje, kindje, we moeten je iets vertellen en dan zul je begrijpen waarom er wat spanning is,' zegt Maartje en daarop vertelt ze aan Truitje wat er allemaal gebeurd is. Af en toe moet ze haar verhaal onderbreken omdat ze het te kwaad krijgt. Truitje is erg onder de indruk van het verhaal. Ze is er stil van en ze is blij als Teun binnenkomt en dan blijkt zij in staat te zijn de spanning te breken door Teun luidruchtig te begroeten. 'Zo, kapitalist!' roept ze en dan weet Teun meteen dat zij al op de hoogte is. Wat later op de dag weet ze met haar spontane manier van doen ook een lach op het gezicht van haar vader te toveren, zodat er bij Maartje weer wat hoop ontstaat dat op den duur alles toch weer goed zal komen tussen haar en Siem.

Op Madezicht herneemt het leven na enkele weken zijn gewone gangetje. De oude meid Dien Beuvink heeft het nog het zwaarst, want zij heeft Henk vanaf zijn prille jeugd gekend en ze was erg aan hem gehecht. Ze beschouwde hem bijna als haar eigen zoon, zeker toen de oude boerin naar het dorp verhuisd was en zij alle ellende met de nieuwe ziekelijke boerin meemaakte. Het huwelijk met de jonge Lenie Gerlings heeft ze nooit zien zitten. Zich ermee bemoeien kon ze niet, maar vaak genoeg moest ze de jonge boerin opvangen als die weer eens diep in de put zat. Ze heeft de indruk dat de dood van Henk voor haar eerder een opluchting is dan dat het haar verdriet doet. Natuurlijk was ook zij aangedaan door de plotselinge en gewelddadige dood van haar man, maar ze is er ook weer vlug overheen. Ze wordt goed opgevangen door haar ouders en haar schoonzus Gonda. Die heeft haar ook verteld wat er bij de notaris besproken is. Toen Lenie nogal enthousiast op dat verhaal reageerde, wilde Gonda de reden daarvan wel weten.
'Waarom reageer je zo blij op de erfenis van Teun Boekhoven, Lenie?' vroeg ze en toen gaf Lenie een eerlijk antwoord.
'Dat komt, omdat ik het Teun van harte gun,' zei ze. 'Van kindsbeen af ben ik gek geweest op Teun en dat is zo gebleven. Eerst was het kinderspel, doch langzamerhand zijn we van elkaar gaan houden, maar Teun is een eenvoudige boerenknecht en in de ogen van mijn ouders uiteraard geen acceptabele partij.'
'Nee, meissie, voor liefde en dat soort romantische zaken is er in onze kringen weinig plaats,' was de reactie van Gonda.

Na het gesprek met haar schoonzuster wil Lenie contact met Teun en ze vraagt Maartje haar te waarschuwen als Teun thuiskomt.
'Wil je met hem praten over de erfenis, Lenie?'
'Ja, ook.' Wat ze nog meer met Teun wil bespreken zegt ze er niet bij, maar Maartje heeft het vermoeden dat het niet bij praten blijft.
'Ik zal zeggen dat je naar hem gevraagd heb, hoor! Gaat het allemaal weer een beetje?'
'Dankzij uw man loopt alles gesmeerd. Ik ben hem er erg dankbaar voor dat hij na de dood van Henk meteen de touwtjes in handen genomen heeft en op zoek is gegaan naar een losse knecht.'

Ze praat over de hoeve, maar niet over zichzelf.
'Lenie heeft naar je gevraagd, Teun,' zegt Maartje als haar zoon die woensdagavond even thuiskomt. 'Het zal wel over de erfenis gaan, maar ik heb de indruk dat ze ook nog een andere reden heeft.'
'Ik hoor het wel als ik er ben.' Er komt een blijde glans in zijn ogen en Maartje ziet het. 'Loop niet te hard van stapel, jongen,' zegt ze. 'Ga je haar alles vertellen?'
'Vroeg of laat komt het toch uit dat ik een zoon van haar overleden man ben, dus kan ik maar beter de achterklap voor zijn.'
'Wat je wilt.' Zuchtend laat Maartje hem gaan. Vanavond komt er weer iemand bij die van haar lang bewaard gebleven geheim op de hoogte zal zijn.
'O, Teun, ben jij het? Kom binnen!' Lenie verwelkomt haar bezoeker hartelijk. 'Ik ben blij dat je er bent, jongen, want ik wil graag even met je praten. We zijn samen. Dien is opgehaald door haar zwager voor de verjaardag van haar zuster.'
'Gaat het weer een beetje met Dien?'
'Het houdt niet over, maar het gaat iedere dag een stukje beter. En hoe gaat het met jou na je bezoek aan de notaris? Niemand begrijpt eigenlijk waarom Henk jou in zijn wilsbeschikking bedacht heeft. Heb jij een vermoeden?'
'Geen vermoeden maar zekerheid, Lenie.'
'Dus als ik het goed begrijp weet jij waarom Henk jou een kwart van zijn vermogen heeft nagelaten?'
'Ik weet het, maar ik wil die wetenschap eigenlijk nog niet aan de grote klok hangen.'
'Maar mij kun je het toch wel vertellen?' Ze kijkt hem met een liefdevolle blik aan en zou hem wel om zijn hals willen vallen, maar ze moet zich inhouden.
'Goed, ik zal het je vertellen, maar houd er rekening mee dat het een nogal schokkend verhaal is.'
'Je maakt me nieuwsgierig. Ga zitten, dan schenk ik koffie in.' Terwijl zij voor de koffie zorgt, bedenkt Teun hoe hij het haar zal vertellen. Hij wil vooral benadrukken dat er een liefdevolle relatie bestond tussen zijn moeder en Henk Cromhout en dat zijn geboorte het gevolg was van die relatie. Niemand mag ooit den-

ken dat zijn lieve moeder zich zomaar afgaf met de boer van het machtige Madezicht. Henk Cromhout en zijn moeder hielden van elkaar zoals hij en Lenie van elkaar houden. Als de mensen en ook Lenie dat nou maar begrijpen.
'Vertel het nou maar,' zegt Lenie als ze de koffie ingeschonken heeft. En dan vertelt Teun uitvoerig, maar heel voorzichtig, zoals hij het zich voorgenomen heeft, waarom Henk Cromhout hem in zijn testament zo gul bedacht heeft.
'Zo is het gegaan en niet anders, Lenie,' besluit hij.
'Maar dan ben jij eigenlijk mijn stiefzoon,' kan ze eindelijk met een stomverbaasd gezicht uitbrengen. 'Ik ben verliefd op mijn stiefzoon!'
'Vertel die onzin niet verder, Lenie,' haast Teun zich te zeggen. Ze heeft wel gelijk, maar het is te absurd om het zo uit te leggen.
'Ik zal het niet verder vertellen, jongen, maar als zoon van Henk Cromhout en met een kwart van zijn vermogen heb jij recht op een deel van de hoeve. Met mijn deel erbij kan niemand nog bezwaar maken tegen een huwelijk tussen ons.' Ze concludeert dit met een stralend gezicht, dat niet past bij een vrouw die amper twee weken eerder haar man verloren heeft. 'We kunnen trouwen, lieverd!' Ze kruipt op zijn knie, vlijt haar hoofd tegen zijn sterke borst en barst in snikken uit. Het zijn echter geen tranen van verdriet, maar van pure vreugde.
'Loop niet te hard van stapel, meissie.' Teun zegt wat zijn moeder hem aangeraden heeft, maar Lenie wil van geen bedenkingen horen. Zij klampt zich aan hem vast en drukt haar lippen op zijn mond en kust haar lieve jongen zoals ze hem nog nooit eerder gekust heeft.
'Jij wordt de nieuwe boer op Madezicht, lieverd,' zegt ze bijna juichend en weer drukt ze zich onstuimig tegen hem aan en kan haar geluk niet op.
'Ik hoop dat het allemaal gebeurt zoals jij zegt, lieveling, maar zoals ik al zei moet je niet te hard van stapel lopen. Er zijn nog anderen die erover beslissen en vergeet niet dat je nog een jaar in de rouw bent. Je man is pas twee weken dood.'
'Laten we daar nou maar even niet aan denken, lieverd. Ik had alle hoop op een gelukkig leven al laten varen en nu ziet de toe-

komst er rooskleuriger uit dan ik in mijn stoutste dromen had durven denken.'
'Ik hoop ook dat alles lukt zoals jij denkt, schatje, maar het is nog niet zover.'
'Het lukt zoals ik denk, Teun. Ik ben de boerin van het machtige Madezicht en ik bepaal zelf met wie ik mijn verdere leven zal delen. Niemand anders kan en mag dat voor mij bepalen. Jij wordt hier boer!' Het is voor het eerst dat Teun de trots en vastberadenheid van een oud boerengeslacht weerspiegeld ziet op het gezicht van zijn lieve meisje. En het gekke is dat hij er dan plotseling vast van overtuigd is dat uitkomt wat zij voorspelt. Hij neemt zijn boerinnetje in zijn sterke armen en overlaadt haar lieve gezichtje met talloze kusjes en eindigt bij haar lachende mondje.
'Ik geloof je, lieveling, maar nu ga ik naar De Windhoek, want het is morgen weer vroeg dag.' Beiden zijn ze vervuld van een veelbelovende toekomst als ze met nog een innige kus afscheid nemen. Lenie belooft eerst met haar ouders en daarna met haar schoonzusters te gaan praten.

'Zo meissie, werd de eenzaamheid op Madezicht je teveel?' vraagt moeder Kee Gerlings als Lenie bij haar ouders komt.
'Die eenzaamheid zal niet zo lang meer duren, moe.'
'Hoe bedoel je dat?'
'Precies zoals ik het zeg. Als de rouwtijd om is ga ik weer trouwen en dan met een jongen van mijn eigen leeftijd.'
'Wat zeg je nou?' Moeder Kee kijkt haar dochter met grote ogen aan, loopt naar de deur en roept: 'Jan! Kom eens, ik geloof dat het je dochter in haar bol geslagen is.' Jan Gerlings, die op het erf bezig is, begrijpt niet veel van de kreet van zijn vrouw, maar hij voldoet aan haar verzoek en staakt zijn werk.
'Wat is er met Lenie?' vraagt-ie met een verbaasd gezicht.
'Mij mankeert niks, pa, maar moe wil me niet geloven,' antwoordt Lenie in de plaats van haar moeder.
'Wat wil je moeder niet geloven?'
'Dat ik na afloop van de rouwtijd ga trouwen met een jongen van mijn eigen leeftijd.'
'Zo, en wie mag dat dan wel zijn?'

'Teun Boekhoven. Ik heb toch verteld dat hij een kwart van het vermogen van Henk geërfd heeft.'
'Ja, en niemand begrijpt waarom.'
'Ik nu wel. Teun heeft het mij gisteravond verteld. Eerst kon ik het bijna niet geloven, maar het is echt waar. Teun is een zoon van Henk.'
'Wat zeg je nou? Dat kan toch niet!'
'Dat kan wel. Juffrouw Boekhoven en Henk hielden toen ze jong waren evenveel van elkaar als Teun en ik, maar, ook weer zoals Teun en ik, konden ze niet met elkaar trouwen.'
'Maar elkaar kennelijk wel beminnen,' reageert moeder Kee met een afkeurende blik in haar ogen.
'Juffrouw Boekhoven was de enige echte liefde in het leven van Henk. Ik wil trouwen met de jongen waar ik praktisch mijn hele leven al van hou. Hij is de zoon van een rijke boer en heeft nu voldoende geld achter de hand, dus zie ik geen bezwaren meer.'
'Heeft Teun gezegd dat hij zijn geërfde kapitaal in het bedrijf steekt?'
'Daar hebben we het nog niet over gehad; we hadden belangrijker dingen te bespreken.'
'Wat je belangrijker noemt,' bromt vader Jan ontevreden. Hij moet erg wennen aan de gedachte dat zijn dochter misschien gaat trouwen met de zoon van een knecht, want als zodanig is hij in het dorp bekend. 'Maar heb je er al met Gonda of Mien over gesproken?'
'Nee, nog niet. Laten we eerst maar met Gonda gaan praten, want die heeft er tenslotte ook voor gezorgd dat Henk en ik bij elkaar kwamen.'
'Laten we dat dan meteen vanavond maar doen, want zo'n nieuwtje als jij ons brengt, ligt zó op straat.'

'Teun Boekhoven een kind van Henk en Maartje?' Jaap en Gonda Potman zijn met stomheid geslagen als zij het verhaal van Lenie aangehoord hebben.
'Maartje was de enige echte liefde van Henk, Gonda,' zegt Lenie ook hier met nadruk. 'En Teun is mijn enige echte liefde,' voegt ze eraan toe.

'Wat wil je daarmee zeggen, Lenie?' Gonda zit op het puntje van haar stoel. De boodschap van haar schoonzus dendert nog na in haar hoofd. Henk, voor wie zij een tweede moeder was, heeft, mede door haar toedoen, een ongelukkig leven achter de rug. Hij trouwde met twee vrouwen waar hij niets om gaf en moest toezien hoe zijn knecht trouwde met het meisje dat hij liefhad. Ze pinkt een traan weg en moet even naar de pomp om een slok water te drinken.
'Het lijkt mij nogal duidelijk wat ik ermee zeggen wil, Gonda,' reageert Lenie. 'Ik wil trouwen met de jongen waar ik van hou en die nu een boerenzoon met geld blijkt te zijn.'
'Het lijkt mij het beste dat wij een familieberaad beleggen, mensen,' zegt Jaap Potman. 'Als wij ervanuit gaan dat Teun zijn kapitaal inbrengt vind ik het voorstel van Lenie onder de gegeven omstandigheden de beste oplossing. Het erfdeel van Teun blijft zodoende in de familie. Wat vind jij ervan, Gonnie?'
'Ik ben het met je eens, Jaap.'
'En jij, Jan?'
'Ik ook.'

De ontwikkelingen gaan nu snel. Het familieberaad komt met een positief besluit en Teun wordt uitgenodigd om, samen met de familieleden, op Madezicht te praten over zijn inbreng en de toekomst van de hoeve, waarin zowel Mien als Gonda een aandeel zullen houden. In ruil voor zijn inbreng zal Teun, met Lenie als boerin, boer worden op Madezicht.
Als de familie weg is blijven Teun en Lenie samen achter en ze kunnen hun geluk niet op. Wat ze altijd voor onmogelijk hebben gehouden, gaat nu echt gebeuren. Een lange verkeringstijd is niet nodig, want ze kennen elkaar al bijna zo lang ze leven.
Lenie nestelt zich op de knie van haar grote liefde en kust hem innig. Samen bespreken ze de toekomst, maar dan schiet Lenie plotseling in de lach.
'Waarom lach je nou, schat?' vraagt Teun verbaasd.
'Als jij hier boer wordt, wordt je vader je knecht.'
'Ja, natuurlijk. Daar heb ik niet eens bij stilgestaan, maar ik verheug me er alleen maar op, hoor! Wij hebben het altijd prima kun-

nen vinden samen en dat zal in de nieuwe situatie wel zo blijven ook.'
'Ik kan bijna niet wachten tot het zover is, Teun.' Lenie drukt zich stevig tegen haar lieve jongen aan en zo zitten ze een poos en maken fluisterend plannen voor hun trouwdag, na afloop van de rouwperiode.

Als de eerste bladeren vergelen is dat een voorbode voor de naderende herfst. Toch schijnt de zon nog volop als de vrolijk beierende klokken de dorpelingen naar de kerk lokken om de huwelijksmis bij te wonen van een jong paar, dat al maanden in de belangstelling staat. De kerk is tot de laatste plaats bezet, want iedereen wil met eigen ogen de huwelijksvoltrekking zien tussen Teun Boekhoven, die eigenlijk de zoon van Henk Cromhout is, en de jonge boerin van Madezicht.